LEUR PESANT D'ÉCUME

OUVRAGES À PARAÎTRE

PASSÉ UN CERTAIN ÂGE
essai

TANT D'AMOUR PERDU
récits

LA REGARDER EN FACE
essai

UN DÉSESPOIR ALLÈGRE
(Journal sans date V)

Voir à la fin du volume la liste complète des ouvrages parus.

GILBERT CESBRON

LEUR PESANT
D'ÉCUME

contes

ÉDITIONS ROBERT LAFFONT
PARIS

IL A ÉTÉ TIRÉ DE CET OUVRAGE
SUR VÉLIN CHIFFON DES PAPETERIES
LANA 20 EXEMPLAIRES NUMÉROTÉS
DE 1 A 20, PLUS QUELQUES
EXEMPLAIRES D'AUTEUR, LE TOUT
CONSTITUANT L'ÉDITION ORIGINALE

Si vous désirez être tenu au courant des publications de l'éditeur de cet ouvrage, il vous suffit d'adresser votre carte de visite aux Éditions Robert Laffont, Service « Bulletin », 6, place Saint-Sulpice, 75279 Paris Cedex 06. Vous recevrez régulièrement, et sans aucun engagement de votre part, leur bulletin illustré, où, chaque mois, sont présentées toutes les nouveautés que vous trouverez chez votre libraire.

ISBN 2-221-00461-2

POUR
MONIQUE DETRY

« Depuis longtemps, Capitaine,
Tout m'est nuage et j'en meurs. »

L'HOMME DU « TITANIC »

Lors du naufrage du *Titanic* (qu'on appelait « le géant des mers »), l'un de ceux qu'il transportait ne périt pas avec lui. Ce n'était pas un passager, mais un soutier de race noire que personne n'appelait jamais par son nom tant il était peu considéré. Quand on l'interpellait, on disait : « Hé, toi ! » Seul à pelleter du charbon lorsque le choc survint, il pressentit la catastrophe et tomba à genoux. « Mon Dieu, pria-t-il, tu sais que je n'ai jamais encore visité le grand bateau dans le ventre duquel je travaille et je dors sans jamais monter voir le ciel ni la mer. Ne permets pas que je tombe au fond de la mort sans avoir, au moins une fois, visité le *Titanic*... S'il te plaît ! »

Mais déjà l'eau aveugle s'engouffrait dans l'immense bâtiment comme une foule envahit le palais royal au soir d'une révolution. Derrière les cloisons du caisson qui l'en protégeaient encore, l'homme percevait des piétinements et des rumeurs ; mais aussi, plus puissant d'instant en instant, le silence des eaux qui se sont rejointes et digèrent puissamment ce qu'elles achèvent d'engloutir. Par les fentes des parois de son repaire, l'inondation avait commencé. « Mon Dieu, pria encore l'homme, si tu n'existais pas je serais condamné à mort. Mais toi qui fais voler en rêve les petits enfants comme des oiseaux, ne peux-tu me faire nager comme les poissons du Cinquième Jour de la Création ? Pour toi, ce ne serait pas grand-chose ; et d'ailleurs, qui le saura, sinon toi et moi ? Au moins le temps de visiter ce grand bateau, une seule fois, s'il te plaît ! » — A la place de Dieu, qu'auriez-vous fait ?

Lorsque l'eau atteignit la bouche de l'homme, elle y pénétra sans peine, non parce qu'il hurlait de terreur mais parce qu'il souriait, les yeux fermés. Il ne s'étonna pas de respirer sans aucune gêne, ou plutôt de n'avoir plus besoin de respirer ; mais il avait encore du mal à voir clair à travers cette masse liquide tandis qu'il s'efforçait de déverrouiller les portes du caisson. L'une de ces mystérieuses pulsations qui font frémir les eaux profondes ouvrit à sa place la porte de fer dont la peinture prenait déjà insensiblement la teinte de l'océan. Très vite, mi-marchant mi-nageant, l'homme traversa l'immense salle des machines qui, à présent, ressemblait à un musée la nuit. Il en gravit les escaliers de fer sans un regard à ce maigre paysage, le seul qu'il connût déjà. Il ne fut heureux qu'en pénétrant dans les étages où le bois verni et toutes sortes d'étoffes dissimulaient enfin le métal, là où le grand bateau cachait ses os et ne montrait plus que sa chair. Ce n'était pas encore le royaume des passagers, mais seulement le domaine des innombrables serviteurs de ces souverains. Les vastes cuisines ressemblaient, en petit et en blanc, à la salle des machines. Des poissons, plus vifs que notre homme et qu'il était bien désolé d'effrayer, inspectaient les lieux, eux aussi. L'un d'eux, s'avisant qu'il nageait un peu à leur manière, osa s'approcher du monstre qui tenta en vain de le caresser. Un cuisinier noyé, fantôme aux bras en croix et qui flottait de biais, suivait de ses yeux globuleux ces visiteurs disparates.

Voici des semaines (mais le temps existe-t-il au fond des mers ?) que l'homme du *Titanic* vit au large dans son palais englouti. Il a commencé par le visiter, dans ses moindres replis, comme l'eau elle-même. Il a longuement choisi le lieu où il dormirait — et c'est la « Suite princière » dont les meubles précieux flottent entre plancher et plafond et dont les tableaux aux couleurs déteintes se balancent aux murs avec des gestes d'algues. C'est là que l'homme du *Titanic* se couche cérémonieusement lorsqu'un mystérieux instinct lui assure que, trois cents pieds plus haut, c'est la nuit. Son poisson familier, celui qui le suit partout, s'endort à ses pieds entre deux couvertures flottantes. C'est lui qui, le plus souvent, le réveille en lui baisant, de sa petite bouche ronde et ferme, les joues et le front. L'homme du *Titanic* ouvre les yeux (le premier matin, quel effarement !), ouvre les yeux, sourit, s'étire et fait le signe de la croix. Mais il a déjà oublié qu'il devrait être l'un de ces pantins blêmes qu'il a pieusement descendus, un à un, dans la salle des machines. Car un certain nombre de passagers, confondant l'inondation avec l'incendie, avaient cru se défendre contre l'inévitable en se claquemurant dans leur cabine. A présent, ludions informes, ils flottaient à différents niveaux dans ces soutes qu'une fois, au début de la traversée, le commandant avait bien voulu leur faire visiter. « Hé toi ! essuie la rampe de l'escalier, ces dames pourraient salir leurs gants... » Jamais la salle des machines n'avait été aussi propre qu'aujourd'hui, mais notre homme n'y retournerait jamais. Les premiers temps, il calquait ses journées sur celles des passagers : la promenade sur le pont, les jeux, le petit salon de musique... Il feignait de se nourrir (à la grande table du

11

commandant) de ces provisions qui garnissaient encore des entrepôts entiers. Il mettait son propre couvert, cristal et vermeil, et gardait la tête tournée vers l'estrade de l'orchestre dont les instruments, veufs de leur musicien, demeuraient en place. Mais ce n'était qu'un simulacre, car les nourritures terrestres le répugnaient déjà et plaisaient davantage à son poisson qui les picorait pour rire. Lui se nourrissait plutôt des algues et des lichens qui garnissaient non seulement les rambardes des ponts mais aussi les élégantes colonnes du grand salon et de la chapelle (où l'homme du *Titanic* venait prier chaque jour). Vous n'imaginez pas la diversité de goût de ces légumes de mer ; ni combien on a peu besoin de manger quand on marche-nage sans but précis à l'eau libre, au lieu de pelleter du charbon à fond de cale. Au début, il s'amusait à dénicher les innombrables coquillages que devait désormais supporter l'orgueilleux géant des mers, lequel, entravé d'algues, ressemblait à Gulliver abattu. Mais notre homme ressentit vite une sorte de honte à déloger de leur bonheur placide, pour les gober, ses frères marins, et il décida de devenir végétarien. Car, à présent, il se sentait vraiment de la famille de tous ces poissons dont les escadrilles frémissantes s'affairaient sans cesse à travers la gigantesque épave. Il avait oublié les hommes... Ils allaient se rappeler à lui.

Les poissons ne vieillissent guère et meurent très vieux quand les hommes leur prêtent vie. L'homme du *Titanic* partageait cette grâce ; d'ailleurs, il avait perdu toute notion du temps et les mille miroirs du navire s'étaient à ce point couverts de taches de rousseur qu'ils étaient devenus aveugles. Notre homme ne savait plus quel visage il montrait. Montrait à qui ? Dans les débuts, il se demandait quelle image de sa propre figure pouvait bien

12

se former au fond des yeux ronds de ses compagnons — et puis ce genre de problèmes, purement humains, avaient cessé de l'intéresser. Il vivait en paix avec eux, même les plus gros, même ceux dont les dents n'auraient fait de lui qu'une bouchée. A égalité de taille, les poissons ne s'attaquent pas entre eux : ils ne dévorent, suivant la triste loi de la nature, que plus petits qu'eux — et les minuscules en découvrent de microscopiques qui les alimentent. L'homme du *Titanic*, végétarien, pacifique, à l'écart de ces chasses et de ces angoisses, vivait donc tout à fait heureux — ce qu'on appelle « heureux » au fond des eaux : d'un bonheur que nous ne faisons que pressentir, mais si fortement que nous en avons fait un proverbe. Jusqu'au jour où l'agitation de ses compagnons et une sorte d'obscurité diffuse dans les demi-ténèbres où il vivait (ses yeux s'étaient agrandis et son regard aiguisé) lui annoncèrent une nouveauté, donc un ennui. L'ennui mesurait trois cent quarante-deux mètres de long et jaugeait plusieurs centaines de milliers de tonnes.

C'était l'un des « géants des mers » de ce temps-ci, auprès duquel le *Titanic* aurait fait médiocre figure, et il venait de se briser sur un récif pourtant fort connu à quelques milles de là. Mais lui ne transportait pas des passagers : seulement du pétrole brut qui se répandait grassement dans la mer. En dépit des hélicoptères qui jouaient les mouches du coche et des navires de secours qui faisaient la ronde autour de l'épave, aussi inutiles et immobiles que des badauds, l'ignoble matière élargissait son empire ténébreux, très vite en surface, plus lentement en profondeur. Affolés par ce ciel noir qui leur tombait sur la tête, les poissons asphyxiés fuyaient plus loin, toujours plus loin. Allongé sur le lit de la Suite princière, les bras en croix, l'homme du *Titanic* respirait à petits coups tel un mourant. « Mon Dieu, pourquoi

13

m'as-tu abandonné ? » Son compagnon, qui n'avait pas voulu le quitter, ne remuait même plus la queue et, un soir, se mit à remonter lentement, sur le flanc, jusqu'au plafond de la chambre. Le Progrès, dont le *Titanic* avait en son temps été le symbole, venait après tant d'années d'en rejoindre l'unique survivant.

Mais la mer guérit tout et, jusqu'à présent, guérit de tout. Après des semaines et des semaines de semi-obscurité et de respiration difficile, elle retrouva sa transparence et sa vie. Les poissons envoyèrent quelques patrouilles craintives puis, rassurés, reprirent possession de leur royaume. L'un d'entre eux (mais celui-ci avait la face plus large, les écailles plus bleues et deux auvents cornus au-dessus des yeux, pareils aux sourcils de certains vieillards), l'un d'entre eux se lia d'amitié avec l'homme du *Titanic* qui devint son « homme-pilote ». Le petit peuple des abysses et son passager clandestin retrouvèrent leur bonheur muet.

Malheureusement le Congrès des Etats-Unis (à moins que ce ne fût le Praesidium de l'Union soviétique) décida d'impressionner l'autre par une série d'explosions atomiques sous-marines. Une main couverte de poils gris et qui sortait d'une manche parsemée d'étoiles d'or désigna sur la carte des océans un point à l'écart de tout littoral et auquel nulle chancellerie, nulle instance internationale ne trouverait à redire. Le seul qui y eût trouvé à redire — « Hé toi, debout ! » — ne l'apprit, comme ses compagnons, que par des allées et venues sur leur tête puis, un matin, une compression insupportable qui broya instantanément leurs yeux, leurs branchies, tout ce qui leur permettait de goûter le bonheur ou, plus simplement, la vie. Cet enfant, dont Dieu son Père avait permis qu'il émigrât de la condition humaine vers celle, interdite et bienheureuse, des poissons, regardez donc ce qu'il devient en un instant ! Un oiseau ? Même pas ! Dix mille fleurs de chair noire et rose qui volent en tous sens dans des eaux devenues mortelles, et que lui-même, assis à la droite de Dieu, observe avec un grand rire blanc.

levant en un instant ! Un oiseau ? Même pas ! Dix mille leurs de chair noire et rose qui volent en taux sens dans les eaux déverrées mortelles, et que lui-même, seais à la table de Dieu, observe avec un grand rire blanc.

LE SILENCE

Le gros Albert arrivait le premier; on aurait dit qu'il poussait la porte avec son ventre. Cet éléphant en chaussons ne faisait aucun bruit; aucun geste non plus : seulement toucher sa casquette (« Salut l'Hortense! ») qu'il ne quittait jamais. Elle était dômée d'une tache de sueur ancienne qui avait pris la forme du pôle Sud, et frangée d'un dégradé graisseux semblable aux lisérés qui, sur les cartes, indiquent les fonds marins. « Bonjour l'Hortense! » Pour Marcel, un grognement suffisait : quarante-sept ans d'amitié, plus rien à se dire. Aussi vieille que leur amitié, la pipe qu'il sortait d'une poche habituée à ses gestes comme à son contenu, d'une poche obèse, flasque et fripée comme l'Albert. Culottée comme un oignon, sa pipe : une pincée de tabac suffisait à bourrer son étroit fourneau; les gens de cet âge, une bouchée de nourriture suffit à les alimenter. Le tabac en débordait toujours comme un chignon crépu, comme une aisselle, comme autre chose encore, sacré Albert! Les quatre compagnons avaient longtemps fait à ce sujet des allusions grivoises; à présent, plus d'allusions, ni de grivoiseries, ni même la moindre parole. Ils se retrouvaient chaque soir chez le vieux Marcel, plus maigre que

16

ses lunettes de fer et dont les joues semblaient un peu plus aspirées de l'intérieur chaque année. Tous les trois mois, son Hortense lui taillait les moustaches afin qu'elles ne trempent pas dans la soupe, mais pas les poils des oreilles qui débordaient comme le tabac de la pipe d'Albert.

Le gros bourrait sa pipe d'un pouce aussi large qu'elle et plus noir encore, mais il ne l'allumait pas. On attendait Adrien que sa « patte folle » (le chemin des Dames, 14-18) retardait toujours, et qui se bricolait des briquets dont la flamme menaçait les sourcils du fumeur et que. leur couvercle de cuivre parvenait à peine à étouffer. Elle dévorait la moitié des cigarettes que se roulait Anselme, le quatrième vieux, et qu'il léchait si longuement qu'elles en restaient trempées d'un seul côté, pareilles aux branches sous l'averse.

Quand les quatre étaient arrivés (Anselme le dernier : le temps ne comptait plus pour lui depuis qu'il était veuf), on s'asseyait en rond dans des fauteuils, chacun le sien. Celui d'Albert tout défoncé (« Tu es trop lourd aussi ! »), avec un maudit ressort, serpent endormi qui se réveillait quelquefois. Albert sursautait, ce qui provoquait une sorte de séisme. Les autres tournaient leur regard vers lui mais s'épargnaient le dialogue convenu :

— Quoi c'est-il ?

— Un ressort qui me pique les fesses. Ton fauteuil n'en peut plus !

— Tu as encore pris du poids, Albert ?

— Allons donc ! Deux cent vingt livres : je n'ai pas varié depuis l'année du Front populaire.

— Change de fauteuil !

— Non, c'est le mien.

— Alors, ne te plains pas.

— Est-ce que je me plains ?

17

Dialogue de regards, pas un mot prononcé ; seulement quelques sourcils levés qui retombaient bientôt. Tous assis en rond autour de leurs souvenirs invisibles ; un tas énorme de circonstances menues, quotidiennes, sans intérêt pour quiconque hormis ces quatre-là. De récits, ils n'en faisaient plus, les connaissant par cœur ; des discussions, ils les évitaient depuis la mort du Maréchal ; des doléances, à quoi bon ? Ils avaient les mêmes : la « rente » (c'est ainsi qu'ils nommaient leur retraite, pour se flatter), la rente : dérisoire ; la santé : « On ne rajeunissait pas ! » Le temps : l'écart avec les prédictions de la T.S.F. n'était même plus un sujet de plaisanteries. Une fois pour toutes, il n'y avait plus de saisons, comme il n'y avait plus de jeunesse, de respect, de conscience : quasiment plus rien qui témoignât de l'Homme (celui de Valmy, de Verdun, du petit vin de pays et des compagnons du tour de France), rien que ces quatre vieux qui, chaque soir, s'assemblaient pour fumer sans un mot.

Hortense s'affairait à sa courte vaisselle, à ses interminables ravaudages dans le rond de la lampe, à la lecture du journal de la veille, jamais achevée à temps — mais « pour ce qu'il se passait de bon dans le monde !... ». Par la porte entrouverte, en même temps que la lourde fumée du *gros-cul*, lui parvenaient, de temps à autre, des soupirs en forme de paroles : « Eh oui... Enfin... Quand je pense... », puis la toux se répercutant dans les étroites cavernes d'Anselme, le gémissement du fauteuil sous le poids d'Albert, le chuintement du briquet d'Adrien rallumant l'un ou l'autre des mégots en deuil, puis l'horloge sonnant dix heures, la retraite et le couvre-feu.

« A demain... Allons, à demain soir... Tâche d'être à l'heure pour une fois... Salut l'Hortense... Tiens, la lune est brouillée... Je te l'avais dit... La saison est malade... »

Pour rentrer chez lui, chacun des trois passait devant le cimetière grand ouvert, rempli de copains à peine plus taciturnes qu'eux. « On est mieux ici qu'en face... » — Voire !

Ils y conduisirent Albert, un matin de décembre. Le cercueil était énorme ; les porteurs, gringalets (« Il n'y a plus de jeunesse ! ») ; l'assemblée, clairsemée (« Il n'y a plus de respect... ») Le fauteuil crevé survivait à Albert ; personne ne s'y assiérait plus : ses bras ouverts comme une vieille femme que son compagnon abandonne.

Les trois survivants se retrouvèrent, le soir. Personne ne salua l'Hortense ; c'était l'habitude d'Albert. Adrien, machinalement, tendit son briquet vers le vide, puis l'étouffa en grognant. Un peu moins de fumée bleue par la porte entrouverte, un peu moins de « Enfin... », un peu plus de soupirs.

Et soudain Hortense tressaillit : rompant un protocole d'un quart de siècle, quelqu'un venait de se lever, quelqu'un marchait, frappait du plat de la main sur la cheminée, quelqu'un (Marcel) venait de crier d'une voix que les sanglots enrouaient :

— Qu'est-ce qui vous prend, ce soir ? C'est insupportable, à la fin, ce silence !

VILLEPERDUE

Quand les soldats chinois pénétrèrent dans le château de Villeperdue, ils trouvèrent le marquis, la marquise, la cuisinière et le jardinier assis dans le grand salon. Ils avaient dépendu de la galerie d'honneur les portraits de famille et les avaient disposés tout autour de la pièce. Pris aussi quelques armures, étendards, épées à deux mains qui décoraient l'escalier et les avaient exposés çà et là avec l'uniforme de cérémonie du maréchal de Villeperdue (1705-1779), la robe brodée d'hermine du chancelier son père, mais aussi, à tout hasard, le casque bleu de feu le marquis Albert-Gaétan, trois fois blessé au cours de ce que personne, depuis les récents événements, la bombe, l'invasion jaune, n'osait plus appeler « la Grande Guerre ». Personne, sauf le marquis et la marquise, assis bien droits au fond des deux bergères Louis XV de droit divin, ainsi qu'Armand le jardinier et Joséphine la cuisinière, posés à quart de fesse sur les deux sièges les plus durs du salon.

Les envahisseurs chinois pénétrèrent par toutes les portes-fenêtres à la fois, avec les clameurs que la stupeur coupa tout net. Elle leur conférait à tous le même visage ; on se serait cru dans un labyrinthe de glaces — mais aucun des quatre assis ne leva les yeux. Par bonheur pour leur dignité, on n'entend pas, de l'extérieur, le cœur des humains battre, battre, battre la chamade. Aussi immobiles qu'eux, les soldats contemplaient avec méfiance cet étrange musée et ses gardiens encore plus étranges à leurs yeux.

Un Chinois, dont il était impossible de supputer l'âge ni le grade, se fraya sans égard un chemin parmi la troupe, se planta au milieu de la pièce, les poings sur ses hanches, puis pointa un index menu vers Armand.

— Vous comte Villeperdue?

Le jardinier secoua vigoureusement la tête avant de la tourner vers son maître avec un regard qui implorait son pardon pour une confusion aussi sacrilège.

— Je suis le marquis de Villeperdue, fit le vieux gentilhomme d'une voix que, pour l'honneur des siens, il aurait voulu mieux assurée.

— *Maquis?* répéta le Chinois en hochant la tête plusieurs fois.

Il connaissait ce mot. Le grand président Mao, père de la nation, avait pris le maquis durant la Longue Marche; et, avant de devenir des têtes de chiens de révisionnistes, les communistes français avaient participé au maquis du Vercors, c'était de l'histoire.

— Le maquis de Villeperdue?

— Oui, fit l'autre, et depuis plus de quatre cents ans.

— Vous vivre depuis quatre cents ans? demanda le Chinois en réduisant ses yeux à deux fentes par où filtrait une méfiance aiguë.

— Non, pas moi, ma famille — et, d'un geste majestueux, le marquis désigna les portraits.

Le Chinois s'installa devant le premier d'entre eux qu'il regarda comme un clocher, de bas en haut. Le marquis se leva pour venir à son côté, bien qu'il eût décidé d'attendre la mort, sans bouger d'un pouce, dans cette même bergère où Gabriel-Louis, son ancêtre, l'avait reçue sans un froncement de sourcil lors de la Grande Jacquerie. Mais puisque cet ennemi s'intéressait à sa généalogie, il se devait de l'escorter. Devant chaque tableau, le dernier des Villeperdue citant le titre de l'aïeul :

— Écuyer... Sénéchal... Conseiller-Maître... Grand Amiral... (L'autre confrontait chaque fois le visage hautain et satisfait avec celui de l'actuel marquis.) ... Chancelier... Maréchal...

— Maréchal ? *Craaah !* fit le petit homme avec une grimace qui lui donnait l'apparence d'un dragon, maréchal toujours traître !

Il pensait à Tchang Kaï-chek ; le marquis songea à Pétain et souffrit. « Allons, se dit-il, moi aussi je fais le don de ma personne à Villeperdue... » Il s'était juré de tout accepter pour éviter la destruction d'une demeure qui avait déjà survécu à tant de guerres et de révolutions.

Le Chinois désigna les portraits, les armes, les habits.

— Vous aimez déguiser vous, dit-il gravement ; puis il éclata de rire et prononça quelques mots en chinois à l'adresse des soldats en désignant les tableaux et le vieux monsieur.

Ils éclatèrent de rire à leur tour, tous ensemble, et s'arrêtèrent tous ensemble quand l'autre reprit son sérieux. Comme pour s'assurer qu'ils n'étaient pas des mannequins de cire, il alla toucher du doigt assez rudement la marquise et les domestiques.

— Qui sont ?

— La marquise de Villeperdue, née Brabançon-Thénard de Méroigne, Armand le jardinier, Joséphine la cuisinière, énonça le marquis.

— Ces deux n'ont pas nom de famille ? demanda sévèrement le Chinois.

Le château fut partagé en deux. Le rez-de-chaussée et

l'aile droite (ainsi que l'orangerie) servaient de musée. On y envoyait d'office, par groupes de vingt, tous les soldats cantonnés dans la région. Assez flatté (« Il faut tout de même leur apprendre ce qu'est une vieille famille française ! »), le marquis avait contribué lui-même à l'aménagement des galeries. S'il avait pu prendre connaissance du commentaire qui accompagnait la visite, il serait tombé du haut mal. De cardinal en chancelier, de masse d'armes en grand cordon de l'ordre de Saint-Louis, on y détaillait l'ignominie de la classe possédante, l'oppression des grands féodaux et leur alliance maudite avec les révisionnistes chinois, ces tigres de papier ! Les militaires sortaient de là plus militants que jamais.

Le reste du château servait de maison de convalescence aux soldats chinois qui supportaient mal le climat si débilitant, si peu tempéré de notre pays. Dans les combles du pavillon des Chevaliers, royaume des araignées et des oiseaux de nuit, l'autorité concéda trois petits logis mansardés au marquis et à la marquise, à Armand et à Joséphine. Celle-ci proposa de coucher n'importe où pour que Madame puisse conserver un *boudoir*.

— Je suis très touchée, ma bonne Joséphine, mais je ne crois pas que ces messieurs accepteraient.

D'ailleurs, la meilleure façon de « bouder » ces messieurs n'exigeait pas de boudoir. La marquise avait décidé d'apprendre à ces pauvres gens ce qu'était une grande dame. Ils l'appelaient entre eux Tchao-li, c'est-à-dire l'emmerdeuse. De son côté, le marquis avait mis au point un mélange de condescendance et de bonhomie destiné à prouver à ces gens-là qu'après tout on pouvait passer par-dessus des différences évidemment assez frappantes de race, de civilisation et surtout (c'était son mot) de « mentalité ». Malheureusement, ces gens-là occupaient l'Europe entière et débarquaient au même moment sur le sol des États-Unis. Ne parlons pas du Japon, premier vaincu ; de la Russie où l'on se battait encore (mais la Sibérie était tombée) ; ni de l'Afrique noire dont les Chinois tenaient le commerce et la banque depuis des lustres, cela leur conférait une « mentalité » assez spéciale et ne les inclinait pas à considérer le marquis et la marquise de Villeperdue avec déférence. D'ailleurs, ils les distinguaient mal des autres habitants des alentours. « Tous ces Blancs se ressemblent tellement... »

Dès le second mois de l'Occupation, peu après la fête du Dragon rouge (que carillonnèrent toutes les cloches des églises de France), le marquis fut affecté à l'entretien du jardin potager. Il réprima un haut-le-cœur en recevant cet ordre et dissimula dans son dos ses mains trop blanches. Puis il songea qu'il avait encore bien de la chance de prendre soin de son propre jardin, alors que Cosson-Bressac, son plus proche voisin, avait été chargé du square de sa petite ville, et le comte de Gatelet-Pérignon (qui avait mauvais esprit), mobilisé à l'élevage des porcs dont l'Occupant avait fait la première industrie du pays. On en voyait partout ; on les appelait sous cape des « Chinois » — c'était, à ce jour, la seule revanche des vaincus. Allons, mieux valait cultiver son potager ; mais à la condition de posséder quelques rudiments de jardinage et le marquis n'en avait aucun. Il demanda en secret des leçons à Armand ; mais celui-ci n'était guère libre de son temps : il suivait les cours de l'université populaire. Quand la nuit était claire, il bêchait, binait, sarclait — quoi encore ? — plantait pour avancer le marquis ; tandis que celui-ci, le front entre les mains, rédigeait les devoirs de son ancien jardinier. Les vestiges de son éducation chez les Bons Pères ne lui étaient pas d'une grande utilité. Armand ne rapportait à la maison ni thèmes grecs ni versions latines mais des dissertations de sociologie et des exercices de dialectique. Le marquis pâlissait sur Marx et mordillait son porte-plume tandis qu'en contrebas, sous la lune (et il le regardait avec envie), Armand se consolait de Hegel en repiquant ses salades.

A la même heure, Joséphine, épuisée par ses conférences à l'université démocratique féminine, enseignait à la marquise la recette du bœuf bourguignon ou seulement à cuire le riz sans qu'il devienne collant et les nouilles sans qu'elles attachent. Car Mme la marquise de Villeperdue, née Brabançon-Thénard de Méroigne, avait été chargée de la cuisine et de la vaisselle communautaires et regrettait, elle aussi, que les Chères Mères lui eussent plutôt appris la broderie, le solfège et l'aquarelle.

— Est-ce que madame la marquise ne pourrait pas, le temps que je lui finisse sa vaisselle, m'établir — comment appellent-ils ça ? — un plan didactique sur le sujet... Ah ! je ne peux jamais retenir ! (Elle sortait de la poche de son tablier rouge marqué d'une étoile un papier qu'elle dépliait.) « La femme révolutionnaire face à l'avenir ? »

— Je vais essayer, ma pauvre Joséphine, mais, vous savez, c'est plutôt le passé qui nous intéresse, nous autres...

Le dimanche, les deux femmes s'affairaient dans leur cuisine où régnait l'odeur fade du soja, tandis que les deux hommes travaillaient côte à côte au jardin où, pour la joie secrète du marquis, cette bougresse de plante n'avait jamais voulu s'acclimater. Au début, leur collaboration était du style : « Si monsieur le marquis veut bien se donner la peine de me passer le plantoir... » A présent, dans le feu de l'action, cela devenait parfois : « Ho ! compagnon, la main !... » Loin d'en être fâché, le marquis se sentait moins seul. Cependant, devant les fourneaux aux joues rouges :

— Puisque madame la marquise insiste, je vais lui raconter comment j'ai dû rompre mes fiançailles avec le gendarme...

La marquise l'écoutait en hochant la tête aux bons passages. Quand Joséphine pleurait, elle-même sentait ses yeux la piquer. Une fois, elle lui prit la main.

— C'est extraordinaire ce que votre maman, la mercière, peut me rappeler la mienne. Exactement le même caractère... C'est vraiment curieux.

— Mais pourquoi, madame la marquise ?

— Rien. J'aurais cru... Non, rien.

Un samedi qu'ils étaient occupés tous les quatre à fabriquer à pleines mains de l'engrais national (trois poignées de terre pour une d'excréments humains), le marquis dit soudain avec une timidité enjouée :

— Que diriez-vous de venir dîner demain soir, tous les deux à la maison ? (C'était la mansarde sous les combles.) Naturellement, ajouta-t-il en se tournant gracieusement vers la marquise, si la cuisinière en est d'accord !

— Bien sûr, fit-elle, mais vous savez, ce sera sans cérémonie...

L'OURS ET LE MOUCHERON

Après avoir volé un instant — ce que nous autres appelons un instant ! — le moucheron se posa sur cette steppe livide, sur ce pré carré moins blanc que la neige, mais presque aussi froid qu'elle. Il n'y demeura pas longtemps. De quoi vit le moucheron ? De cette inquiétude qui le porte sans cesse d'une bouchée à une autre, tout aussi minuscule ; sa versatilité apparente le sauve.

Il vola donc quelque temps dans la même direction puis aperçut un visage très pâle mais fort grand. Il s'y posa : il y a toujours à picorer sur un visage… — pas sur celui-ci, toutefois ! Quoiqu'il parût remuer, il devait être mort : ni senteur ni chaleur. « Allons-nous-en ! » pensa le moucheron. Il fit quelques tours en l'air, écarquillant les yeux, mais il faisait trop sombre dans cet espace.

Il aperçut enfin une grosse bête qui se déplaçait sans paraître bouger, comme les avions parfois, dans un paysage gris et noir. Un gros animal est toujours un refuge pour un plus petit, soit qu'il ne s'avise même pas de sa présence, soit qu'il y trouve une compagnie. Cette imperceptible contrariété l'assure qu'il n'est pas seul. La nature est remplie de telles alliances ; la société aussi.

Le moucheron espérait une toison profonde au creux

de laquelle il se reposerait avant d'en explorer les ressources ; mais le contact qu'il prit avec précaution lui parut aussi désagréable que celui du visage mort. « Il n'a pourtant pas forme de reptile, s'étonna le moucheron. Alors pourquoi cette froideur si lisse ? Ah ! mauvaise journée !... » — En fait, « journée » n'est pas un terme de moucheron : son temps est trop mesuré. Chacun de nos jours est, pour lui, une saison ; chaque saison, une année ; chaque année, une vie.

Il repartit vers les ténèbres ; mais les ténèbres ne nourrissent ni ne distraient les moucherons. Il se laissa donc prendre, une fois de plus, au piège du paysage blême qui soudain s'était animé. Tel un avion d'observation, le moucheron tourna quelque temps à bonne distance, le temps de comprendre ce qui se passait sous ses yeux.

Il avait assez vécu pour reconnaître que des hommes, ici, se livraient bataille. On voyait progresser des chars d'assaut qu'un tir figeait sur place ou faisait exploser. Des cratères se creusaient soudain dans le sol ; des gerbes de flammes renversaient les combattants qui, d'un coup, se recroquevillaient telles des araignées touchées à mort. Des avions labouraient le ciel en désordre, lâchant avec une sorte de désinvolture des crottes ou des œufs, allez savoir ! lesquels, à peine avaient-ils touché le sol...

Ce spectacle fascinait le moucheron ; il n'avait pas assez de tous ses yeux pour le suivre. Il voyait s'apprêter, à gauche, des actes violents que leurs futurs victimes, à droite, ne pouvaient pressentir. Pareil aux enfants qui, à Guignol, préviennent naïvement le personnage qui leur est sympathique, il avait envie de crier, lui aussi : « Attention ! cachez-vous ! ils arrivent... » Mais, dans le tumulte qui montait de cette étrange bataille si plate, sa voix se fût perdue. Et puis les hommes prêtent volontiers leurs propres sentiments aux bêtes, mais ils n'ont jamais cherché vraiment à traduire leur langage. Ils sont parvenus à déchiffrer l'écriture de peuples inhumés au fond des siècles, et ils ne savent pas comprendre leur chien.

« Et si je m'en mêlais ! » se dit le moucheron. Car c'est leur présomption à eux, leur orgueil, leur ivresse propre : jouer les moucherons du coche. Le nôtre se mit donc à voleter de poste en poste, avec l'espoir de retarder ici une salve d'artillerie, là d'attirer l'attention d'un char imprudent, de contraindre par son infime bourdonnement un combattant à se terrer à temps, ou encore de détourner un avion à peine plus grand que lui qui piquait sur un objectif désarmé... Changeant de camp sans cesse, se portant au secours du faible, du traqué : de l'homme à pied contre celui qui le vise à l'abri d'une paroi blindée ; ou de celui-ci, lourd et lent comme une tortue, contre les foudres de l'aviateur.

Il s'épuisait, le moucheron, mais se sentait, d'instant en instant, plus indispensable. Toutes ces vies qu'il sauvait ! Il était devenu l'arbitre du combat, le bon génie de tous ces forcenés. N'allaient-ils pas bientôt déposer les armes, devant cette impuissance qui les frappait incompréhensiblement ? Comprendre leur folie, sortir de leur ivresse ? — Alors, quand la paix serait enfin retombée sur ce champ de bataille gris et noir, le moucheron pourrait enfin se reposer, se soucier un peu de sa mesquine nourriture : le jour de gloire serait arrivé...

C'est alors que l'ours éleva la voix. Un ours en pantoufles qui avait trop mangé et qui, le gilet déboutonné, somnolait à demi au fond d'un fauteuil, dans la puanteur de sa pipe éteinte. L'ours éleva la voix et, en même temps, sa grosse main meurtrière qui, d'un coup, écrasa le moucheron contre l'écran de la télévision. Une tache presque imperceptible, un peu de rose dans toute cette grisaille...

— Sans blagues, dit l'ours, cette bestiole n'allait pas nous emmerder jusqu'à la fin du Journal !

MICHÈLE BARTOK

Dans la nuit du 24 au 25 février, je souffris en dormant un véritable désespoir à la pensée que je ne reverrais plus Michèle Bartok sur cette terre. Ou plutôt elle était encore vivante, rien n'empêchait absolument que je la rencontre de nouveau, mais cela se révélait si improbable que j'en pleurais en m'éveillant.

D'ailleurs, où l'avais-je déjà rencontrée ? Je revoyais, mais par lambeaux indistincts et fugaces (comme si précisément j'eusse tenté de me remémorer un rêve), le balcon d'une salle obscure où prenait place je ne sais quelle transmission d'un spectacle. Où ? Quand ? — Impossible de le préciser. Et de qui étaient ces visages entourant celui de Michèle Bartok ? — Inconnus de moi, et s'effaçant à mesure que je m'appliquais à les apparenter, comme se dilue le contenu d'un songe dès qu'on prétend le cerner.

Ainsi, ce rêve se présentait-il au *second degré* : rêvant, j'éprouvais à l'égard de prétendus souvenirs la même impression que l'homme qui s'éveille et retourne à ce qu'il vient de rêver. Le système des « poupées russes » (l'une s'emboîtant dans l'autre, en tout semblables excepté par la taille) régit donc aussi la part inconsciente de notre esprit. Tout serait à la fois contenant et contenu ? Découverte naïve, à laquelle j'attachai une importance démesurée à cause du désespoir où m'avaient noyé les circonstances de ce songe.

Je dis « songe », mais ne me résous pas à le traiter comme tel. Il me semble que cet épisode, tout incompréhensible qu'il me paraît, revêt l'importance d'un message dont le « code » serait volontairement insignifiant, voire enfantin.

Et d'abord, pourquoi me souviendrais-je aussi précisément de cette ville où je me trouvais ? (Étrange, uniquement peuplée d'ombres et d'officiels fort gras, vêtus d'uniformes blancs, assis de front, par quatre, dans chaque voiture...) Et pourquoi la certitude poignante que le restant de ma vie serait sans goût puisque je n'avais aucune chance de jamais revoir Michèle Bartok ?

De cette existence entière, je prenais soudain une vue cavalière désolante : comme si l'heure de ma mort venait d'être fixée, comme si je me tenais, cette nuit-là, entre le temps et l'éternité.

De plus — et cela mettait le comble à mon désespoir —, je savais d'avance que si, par prodige, je me retrouvais quelque jour en face de Michèle Bartok, rien ne serait pareil. Pareil à quoi ? — *Je l'ignorais.* Mais, quelqu'un en moi le savait : quelqu'un, au fond de mes casemates, tenait archives de ma vie, avait enregistré et conservait intacte ma première rencontre avec Michèle Bartok. Rencontre unique, voilà tout ce que j'en savais : unique, éblouissante, et qui avait arrêté le temps. Eh bien, si de nouveau je me trouvais face à face avec elle, tout serait gâché par ma faute : à cause de cette crainte même que tout soit gâché, *à cause de ce rêve.*

Ainsi mon désespoir nourrissait-il mon désespoir et, quoique toutes ces pensées ne me fussent venues qu'ensuite, je pressentais confusément que j'étais en train de me préparer un désespoir à venir, pire encore s'il se peut — et il se peut toujours.

Par ma faute ! tout était ma faute, quoique contre mon gré et presque à mon insu. Elle (je veux dire Michèle Bartok) demeurait entièrement innocente. De tout, de tout ! Elle ne prenait aucune part à la souffrance, à l'injustice, au mal ; ni, pour sortir des grands mots, aux malentendus, silences, retards et faux-semblants qui détruisent nos vies sans qu'il y paraisse, y creusant, comme dans une falaise, l'invisible vide qui la fait s'effondrer une nuit. Aucune part ! Elle gardait l'innocence originelle et son rire datait d'avant la création du monde.

Son rire, voilà tout ce que je revois d'elle à présent, sans l'entendre, et je le sais inaltérable. Tout, sauf lui, se fane un peu plus à chaque minute — moi, notamment ; et c'est pourquoi je ne pourrais plus affronter une rencontre avec Michèle Bartok si, par prodige, elle se représentait. Me reconnaîtrait-elle seulement ? Qui me reconnaîtrait, alors que chaque année, chaque heure me dissout ? *Une infidélité fondamentale,* tel est le mal qui nous corrompt et nous défigure. Tandis que Michèle Bartok...

Mais peut-être est-elle morte, peut-être ce rêve me l'annonçait-il à sa manière, celle de la nuit — et cela justifierait assez mon désespoir et ce réveil navré, ces joues salées de larmes. Morte, Michèle Bartok ! Voilà donc pourquoi elle m'est devenue inaccessible et ne changera jamais, et pourquoi son rire exprime une joie éternelle tandis que je suffoque encore.

Morte, Michèle Bartok ? — Qu'est-ce que cela peut me faire puisque je ne l'ai jamais vue, puisqu'elle n'existe point, puisque ce nom bizarre, jamais je ne l'avais entendu avant la nuit du 24 au 25 février et ses larmes arides ?

LE CINQUIÈME PAS

A partir du moment où l'autre vous disait : « Allez, file ! » on faisait cinq pas. Tout le monde le savait dans le camp : cinq pas — et puis la rafale dans le dos ! C'était normal : après cinq pas, la sentinelle pouvait vous manquer ; avant, cela aurait par trop ressemblé à un assassinat. Si l'on voulait prétendre que le prisonnier tentait de s'évader par la porte de l'Ouest, qu'on avait crié « Arrête ! » mais qu'il avait bien fallu tirer puisque l'autre continuait à fuir, cinq pas étaient la bonne mesure.

Certains s'élançaient en courant : ils espéraient ainsi couvrir une plus grande distance et, qui sait, échapper au tir de la sentinelle. D'autres, dans le même but, obliquaient brusquement à gauche ou à droite. Tu parles ! Quand tu tiens une mitraillette et que tu comptes jusqu'à cinq, même lentement, tu ne peux pas rater ton bonhomme... Ensuite, tout le reste n'était qu'une comédie :

— Sergent, je l'ai vu qui sortait de la casemate, je ne sais pas comment. (Le sergent, lui, le savait !) J'ai crié : « Arrête ou je tire ! » Il a continué ; alors j'ai tiré.

— J'en rendrai compte au lieutenant.

— Et pour le corps, sergent ?

— On va s'en occuper.

« On », c'était une corvée de quatre hommes, toujours les mêmes : ceux qui, à l'aube, avaient creusé la fosse dans le cimetière du camp. Cela leur valait une permission spéciale tous les samedis ; ils allaient se saouler en silence au bistrot du village et s'en revenaient, passé minuit, en vomissant tout le long du chemin. Ils ne rectifiaient même pas la position en passant devant le poste de garde ; c'étaient des caïds. Quatre, toujours les mêmes. Après la guerre et jusqu'à leur dernier souffle ils s'enverraient des cartes de vœux à la nouvelle année. « A qui écris-tu ? » — « A trois copains de guerre. On nous appelait les Inséparables... »

Toujours ces quatre-là ; mais, en revanche, chaque fois qu'une nouvelle « opération » devait avoir lieu, le lieutenant s'arrangeait pour que ce ne fût jamais la même sentinelle qui fût de faction à la poterne de l'Ouest. Il voulait s'assurer, un à un, de tous les hommes qui composaient sa petite garnison. La forteresse (mais ce n'était qu'un fortin de rien du tout) se trouvait éloignée de tout renfort ; des bois épais la séparaient de la frontière trop proche ; et les gens du village, frontaliers presque tous, se montraient plutôt neutres qu'amicaux et même, pour certains d'entre eux, plus hostiles que neutres. Ils savaient fort bien ce qui se passait derrière ces murs de pierre noire : après trois ou quatre verres, les permissionnaires avaient la langue trop longue. Chaque fois que les villageois entendaient une rafale du côté du fortin, ils s'immobilisaient et baissaient la tête sans oser s'entre-regarder. Avant cette guerre, ils n'avaient jamais vu d'autres juifs que le vieux Finhalter, le tailleur, qui jouait du violon comme une jeune fille. Alors, pourquoi les pourchassait-on à travers tout le pays ? Les femmes et les enfants disparaissaient ; les hommes, on les disséminait dans des camps de travail — ici par exemple. Cette route et ce pont, cela faisait au moins cinquante ans que les habitants du pays les réclamaient — mais, bon sang, pas à ce prix ! Les hommes du village (enfin, ceux qui n'avaient pas été mobilisés, envoyés dans les neiges et plus jamais de nouvelles !) avaient proposé de se joindre aux corvées de travail. « Avec des juifs, vous êtes fous ? » — Et, depuis, le lieutenant se méfiait d'eux ; comme de ses prisonniers, comme de ses hommes tant qu'ils n'avaient pas tiré, à cinq pas de distance, sur un détenu qu'on contraignait à s'évader. Ensuite, avec eux, plus d'histoires ! Chacun gardait pour lui ses états d'âme. L'un d'eux avait même demandé si l'aumônier venait quelquefois... L'aumônier ! En fait, il était passé deux ou trois frères par la forteresse, mais pas pour y exercer leur ministère ! Et, comme ils s'obstinaient à le faire à la sauvette, il avait bien fallu les contraindre à « s'évader », eux aussi...

Les hommes de la garnison étaient de piètres soldats : pères de famille nombreuse, ou jeunes gens trop fragiles pour supporter le front de l'Est. Le lieutenant les méprisait et ne comptait guère sur eux. Seule l'épreuve des cinq pas en faisait les robots qu'il souhaitait commander. Certains se portaient volontaires de nouveau — à la bonne heure ! Des tempéraments de chasseur... Bientôt, la garnison tout entière aurait pris faction devant cette poterne de l'Ouest (celle qui donnait sur les bois et la frontière) ; bientôt le lieutenant aurait, comme disait le sergent, tout son monde bien en main...

« Cinq pas... » — Le garçon s'arrêta sur le seuil de la poterne. Retourner en arrière, c'était se faire abattre d'une balle dans la nuque au détour d'un couloir ou sur sa paillasse, en pleine nuit, par le sergent qui, lui, ne raterait sûrement pas son coup. La sentinelle non plus ! Du moins, cela n'était jamais arrivé, bien que tous les faux évadés l'eussent espéré. Mais mourir à l'air libre, après avoir respiré, couru un instant vers les bois — allons, c'était préférable.

Pourquoi avait-il été désigné à son tour ? Il le devinait ; tout finissait par se savoir entre ces pierres noires, malgré le silence imposé à coups de cravache. Si on avait décidé de le faire disparaître, bien qu'il ne travaillât pas plus mal qu'un autre et qu'il n'eût jamais mis les pieds à l'infirmerie, c'était parce que, à l'autre bout du pays, on avait tué sa mère, sa femme et sa petite fille. Dans ces cas-là — il le savait, tout le monde le savait — on préférait *liquider* la famille. La route et le pont seraient bientôt achevés ; un nouveau contingent de travailleurs venait d'arriver : des tziganes et des résistants. Alors, un de plus, un de moins ! On allait donc effacer à jamais, avec le rituel de la fausse évasion, toute trace de sa famille. (Son père, lui, avait été abattu sur place, dans le ghetto.)

Cinq pas... Il entendit la sentinelle qui armait sa mitraillette.

« De toute façon, se dit-il, il arrive un instant dans la vie où l'on se trouve à cinq pas de sa mort. Simplement, on ne le sait presque jamais ; ces cinq pas vous sont volés. Moi, je le sais. Ils sont à moi. Je n'ai jamais rien possédé de plus sûr que ces cinq pas. En ce moment, je suis l'homme le plus libre de la garnison, le seul entièrement libre, *le temps de faire cinq pas !* »

Il se réfugiait dans la fierté. Mourir debout... C'était le seul cadeau que vous faisait le lieutenant, et cela convenait à l'homme qui allait être abattu. A présent qu'il avait la certitude que ses trois amours étaient morts, il se sentait extraordinairement léger. Vide de toute larme, de toute espérance, de tout projet. Vide, donc léger, entre terre et ciel, et tout à fait invulnérable. On allait le tuer à cinq pas d'ici — mais qu'est-ce que cela voulait dire ?

Mort, il l'était déjà trois fois, sous trois visages différents, sans parler de celui de son père. Au fond, à quoi
cela rimait-il de survivre ? Et même n'était-ce pas
honteux ? Honteux et absurde : quand on se sentait exilé
où qu'on se trouvât, exilé dans sa propre peau, pourquoi
vivre ?

Ainsi, tandis qu'il accomplissait lentement son premier pas d'homme libre, un désespoir absolu l'accompagnait et le consolait de tout. Cependant, comme il
avançait l'autre jambe, il revit avec une précision
douloureuse le visage de sa petite fille, les yeux clos.
Morte ? Non, endormie. Il la vit, sans défense, déjà
livrée à ses rêves, les lèvres entrouvertes sur un bonsoir
inachevé, comme chaque soir aux temps heureux. Et il
murmura son prénom, comme alors, en souriant.

— Tu te grouilles ? fit derrière lui la sentinelle, d'une
voix mal assurée.

Non, il ne se hâterait pas : l'autre ne tirait jamais
avant le cinquième pas. Sa petite fille et, de l'autre côté
du berceau, sa femme qui souriait, elle aussi. Forte et
fermée, secrète, inattaquable : une vraie citadelle ! Pas
comme cette misérable forteresse, obscure et suintante,
amas de pierres mortes... Non ! Sa femme vivante,
irréductible...

La sentinelle le vit se redresser. « Il est plus grand que
moi », pensa-t-il, et il serra sa mitraillette entre ses
poings. De dos, ce type ressemblait à n'importe qui. Il
penchait un peu la tête sur l'épaule gauche comme
Étienne, son frère aîné, dont il n'avait aucune nouvelle
depuis des mois. Et s'il s'était fait tuer sur cette saloperie
de front de l'Est ? « Pourquoi est-il là-bas et moi ici ? se
demanda la sentinelle. Quelle injustice, quelle connerie,
la guerre ! » Il s'en voulait de loger tranquillement dans
ce fortin puant, loin de tout danger. Se lever à l'heure
dite, faire des corvées, bouffer, prendre la garde,

bouffer, se coucher à l'heure dite... Oui, quelle connerie, la guerre ! Mais justement, ce n'était pas la guerre...
Et, pendant qu'il menait cette vie de conscrit, de
concierge, au son des godillots raclant la pierre et des
injures dans le dortoir, Étienne, son aîné, son seul
confident... — Il s'en voulait ; il en voulait au lieutenant,
au monde entier, et à ce type qui n'en finissait pas de
mettre un pied devant l'autre... — Non, pas à ce type.

Troisième pas : « J'ai fait la moitié du chemin, pensa
l'évadé, et ça ne m'a pas pris une minute... Qu'est-ce que
c'est que le temps ? Un vieillard qui va mourir trouve son
sort injuste... » Il prit une immense goulée d'air et, tout
au fond de cette aspiration, sentit l'odeur paisible,
immémoriale, de ces pins devant lui, à portée de regard.
« Qu'est-ce que l'espace ? » Le désespoir laissait la
place à la dérision, une puissante dérision qui englobait
la création tout entière, l'humanité, cet immense troupeau, la vie. — « Quelle connerie la vie ! » Il se hâta
presque d'avancer l'autre jambe ; c'était le quatrième
pas.

« Quatre », compta la sentinelle à mi-voix afin de se
donner du courage. Même pas du courage, mais une
raison d'agir : il remontait le mécanisme en lui, machinalement, comme une montre.

« Quatre ! Mais qu'il se grouille, bon Dieu de
merde ! » Il ne lui vint pas à l'esprit de tirer, là,
maintenant. Il existait un rituel qui les unissait tous, le
lieutenant, le sergent, l'évadé et la sentinelle : on tirait à
cinq — ni avant ni après, c'était comme ça. « Et
pourquoi ? » — Cette question ne fit que l'effleurer. Et il
lui effleura aussi l'esprit que les questions essentielles
restaient toujours sans réponse, et que c'était pour cette
raison que les hommes ne se les posaient jamais. —
« Mais qu'est-ce qu'il attend, ce salaud ? »

Ce salaud venait de lever la tête et d'apercevoir dans le

ciel un nuage isolé, une montagne de neige qui dérivait souverainement et que rien ne ferait se hâter ni changer de forme. Lentement, irrésistiblement il traversait le ciel de part en part, l'immense nuage, indifférent à ces minuscules, à ces indiscernables créatures qui s'entre-tuaient sur une vague frontière à l'Est ou qui, parmi des pierres noires, rectifiaient la position parce que l'une d'entre elles avait fait coudre une étoile sur sa casquette. L'homme condamné regarda le nuage, de puissance à puissance. Voilà ! c'était la seule attitude, la seule allure à adopter : l'indifférence, la lenteur, l'altitude.

Il allait poser le pied pour le cinquième pas. C'est alors qu'il se retourna, d'un bloc. La sentinelle vit son visage, pour la première fois, et ce visage souriait. Sans arrogance ni provocation, sans hostilité ni amitié : il souriait, pour son propre compte. Il ne s'adressait pas à la sentinelle, ni à personne ; il souriait au-delà de la forteresse, et de la guerre, et de tous les rituels des hommes.

— Tourne-toi, nom de Dieu ! hurla l'homme à la mitraillette.

Il ne supportait pas ce visage d'homme, ce sourire sans peur, sans haine.

— Tourne-toi : c'est un ordre ! reprit-il stupidement.

Mais l'autre ne l'entendait pas : il revenait sur ses pas, un à un, tout aussi lentement — et le soldat prit peur. Il serra son arme de toutes ses forces ; mais plus il s'assurait d'elle et plus elle lui semblait une masse de métal inerte, un objet compliqué, inutile : l'image même de cette forteresse, de toute armée, de toute guerre, nom de Dieu !

— Tourne-toi ! cria-t-il encore une fois — mais il s'entendait le crier comme s'il s'agissait d'un étranger et d'une langue inconnue.

Deux pas. Trois pas. Et soudain, l'homme parut

41

s'apercevoir de la présence de la sentinelle. Ce type lourdement, tristement vêtu, avec cette coiffure de métal qui cachait presque son regard — c'était si ridicule qu'il se mit à rire franchement, sans aucune méchanceté. Peut-être que les nuages blancs rient aussi dans le ciel, à leur manière.

Il se trouvait à un pas de la sentinelle. Celle-ci, les yeux exorbités, la bouche grande ouverte, recula d'un pas, puis de deux ; puis il lâcha son arme. Sans aucune hâte, l'homme se baissa pour la ramasser.

— Non, non ! hurla l'autre, tu ne vas pas me...

— Imbécile.

Il avait parlé doucement, sans cesser de sourire (comme son frère Étienne). Il regarda cette forteresse aveugle, puis se retourna vers le bois de sapins. Il venait de reprendre pied dans l'espace, dans le temps. Chaque seconde comptait désormais.

— Viens, commanda-t-il à mi-voix. On s'évade tous les deux — sinon tu es fichu, toi aussi.

— Mais les autres vont nous...

L'homme lui montra le bois si proche, puis soupesa la mitraillette. Il souriait toujours.

— Vite ! répéta-t-il seulement.

LE RIDEAU VERT

— Mon père, je viens m'accuser d'avoir célébré une messe noire.

Le garçon, agenouillé dans la pénombre, s'attendait à un cri, à quelque regard luisant derrière la grille de bois — à tout sauf à ce silence qui se prolongeait.

— Une messe noire, reprit Pascal d'un ton provocant. Mais vous ne savez peut-être pas ce que c'est ?

— Si, très bien, dit la voix. Mais pourquoi ?

— Pourquoi m'en confesser ?

Il ne pouvait pas répondre : « Parce que Marc m'avait défié de provoquer les prêtres dans leur propre domaine, et que lui-même avait parié d'aller plus loin que moi ! » La messe noire, c'était seulement à demi vrai : une fille nue, des lambeaux de latin, quelques gestes imités... Mais l'intention très ferme de bafouer ce que Marc appelait « tout ça » : les curés, les bien-pensants, les traditions. Le Christ aussi ? — Le Christ aussi : il fallait bien en arriver là, l'anticléricalisme ne suffisait plus.

— Vous ne m'avez pas entendu ?

— Je n'écoutais pas. Excusez-moi.

— Je ne vous demande pas pourquoi vous venez vous en confesser, mais pourquoi, vous aussi, vous avez...

— Moi aussi ?

— Oui, comme tant d'autres — beaucoup plus que vous ne pensez ! — pourquoi vous avez célébré, ou cru célébrer, ce que vous appelez une messe noire ?

— Pour manifester ma liberté.

— A l'égard de qui ?

Pascal aurait dû répondre : « De vous » ; il s'aperçut à temps que c'était enfantin.

— Des autres.

— Des autres participants. De vos amis ?

— D'abord, oui.

— Je ne crois pas. Ils partagent vos... convictions : vous n'avez rien à leur prouver. Ou alors, c'est misérable : c'est le « plus que toi ! » des gosses... Allons, reprit la voix sans dureté (tout au plus une condescendance irritante), pour marquer votre liberté à l'égard de qui ?

Pascal ne voulait pas dire : « Du Christ. » D'abord, ce nom le mettait mal à l'aise ; et puis il ne voulait pas tendre cette perche au curé : l'autre serait parti dans ses discours douceâtres...

— A l'égard de moi-même.

— Vraiment ? Vous avez besoin de ce genre de preuves ? Vous n'êtes donc pas très assuré de vos convictions...

— Si, très assuré.

Il commençait à avoir chaud ; ce rideau vert, fané, brûlé, confinait dans cette boîte un siècle d'haleines tristes.

— Très assuré ? Bon. Alors, pourquoi êtes-vous ici ?

— Je suis ici — cela suffit, non ?

— Suffit à quoi ?

— Mais...

— Écoutez, reprit la voix avec une sorte d'inquiétude, on ne se livre pas à des préparatifs aussi excentriques, on n'accomplit pas des gestes aussi bizarres pour rien ! Une messe noire, ce n'est pas une clownerie, ou une fantaisie érotique comme en exigent les maniaques dans les maisons closes !

— Sûrement pas.

— Alors, pourquoi ? J'ai besoin de savoir, ajouta-t-il à voix basse.

Et, comme l'autre se taisait, il repartit d'un ton las, celui des parents et des maîtres lorsqu'ils se contraignent à la patience.

— Pour prouver votre liberté à l'égard de qui ? Répondez.

— De Dieu, peut-être, murmura Pascal.

— De Dieu ! s'écria l'autre comme s'il n'attendait que ce mot, et sa voix parut résonner dans l'église tout entière. Vous croyez donc en Dieu ?

— Non.

— Alors, soyez logique ! (Le ton avait retrouvé sa lassitude ; on y percevait une sorte de déception.)

— Les autres y croient.

— Qui ça, vos amis ?

— Non, les autres, la masse — tous ces imbéciles, ajouta-t-il avec un geste qui fit voleter le rideau vert. Tous, même lorsqu'ils le nient !

— Qu'est-ce que cela peut vous faire ? Ils croient bien aux fantômes, ces « imbéciles », et vous n'essayez pas d'exorciser les fantômes !

— Dieu a tout de même une autre importance.

— Pas davantage !

— Comment ?

— Je veux dire : pas davantage pour vous. Tout ce qui n'existe pas se vaut, quelle qu'en soit « l'importance ». C'est le néant, et il n'y a pas d'unité de mesure pour le néant.

Il avait parlé avec une telle véhémence que l'autre se

45

pencha vers la grille de bois afin d'explorer du regard les ténèbres dont elle le séparait. Après un long silence :

— Non, reprit l'invisible, vous croyez en Dieu, c'est bien évident.

— Parce que je suis venu me confesser ?

— Non, parce que vous célébrez des messes noires...

— Vous aimez vraiment le paradoxe !

— Parce que, poursuivit l'autre sans l'entendre, vous cherchez désespérément les actes, les gestes, les paroles les plus sacrilèges : comme un enfant essaie de peiner sa mère parce qu'elle l'a puni et qu'il ne peut pas s'empêcher de l'aimer. Vous n'êtes qu'un naïf !

— Alors, pourquoi appelez-vous cela un péché ?

— J'appelle cela une gaminerie, tout au plus.

— Je ne crois pas en Dieu, répéta le faux pénitent d'une voix altérée.

Il en avait soudain assez d'être mené par cette voix invisible. Il n'était pas venu ici pour poursuivre une dialectique mais pour gagner un pari. Les autres riraient bien (et Marc le premier) en le voyant aux prises avec l'homme à la robe noire.

— Ce n'est pas un péché que de ne pas croire en Dieu, dit la voix. Le seul inexpiable, c'est de croire en lui et de le détester ; seulement, ce n'est pas à la portée de tout le monde !

Il se tut. Le silence, entre eux, devint insupportable. Pascal s'avisa qu'il était à genoux, à genoux entre une grille de bois et un rideau vert, à genoux devant une image de mauvais goût et une prière dont les premiers mots seuls étaient lisibles, lisibles et risibles : « Ô bon et très doux Jésus... » A genoux — et ils lui faisaient mal. Il se sentait grotesque. Il aurait voulu se lever, mais cette cage était trop basse.

— Écoutez, fit-il d'une voix sifflante, votre absolution... c'est bien le mot, n'est-ce pas ? Votre absolution, je m'en fous, je m'en fous complètement. Ce que je veux, maintenant, c'est voir votre visage.

— Mais...

— Sortez d'ici ! Je veux vous voir.

Si sombre que fût l'église, ils se trouvèrent éblouis, l'un et l'autre, en sortant de leur prison obscure ; il leur fallut un instant pour se reconnaître.

— Marc !

— Pascal !

Ils demeuraient interdits, aucun d'eux ne songeait à rire. Le rideau vert remuait, agité par un souffle insensible.

LA FURIE

A la Furie, hameau proche de Nantes, on pouvait depuis deux cents ans rencontrer un homme qui vous racontait, dans leurs moindres détails, la Révolution de 89 et les guerres de l'Empire telles qu'on les avait vécues dans la région. Ce n'était pas qu'il fût historien ou voyant ; mais son aïeul avait été mêlé de près aux événements et en avait transmis le récit encore chaud et tout vivant à son fils aîné qui, le moment venu, en avait fait autant avec le sien. C'était donc devenu une tradition dans cette famille : le père initiait patiemment son aîné dès sa treizième année et, les yeux dans les yeux, lui apprenait, phrase à phrase, le témoignage de l'ancêtre.

— Je me tenais devant l'estrade, répétait avec application l'enfant, à quelques mètres...

— Non ! à quelques *toises*.

— A quelques toises de l'orateur et soudain, n'y tenant plus, je l'interrompis...

— *L'interpellai.*

— Je l'interpellai : « Citoyen, comment la Convention pourra-t-elle tenir ses promesses dans ce pays-ci ? Nous ne sommes... nous ne sommes point des Français comme les autres... »

Des semaines durant, le garçon récitait sa leçon, le front plissé par l'effort, attentif à ne pas changer une seule nuance, sous le regard exigeant du père dont les lèvres, sans un son, formaient les mots avec une imperceptible avance sur lui.

Lorsqu'il connaissait par cœur le récit, les intonations traditionnelles et ces gestes qui demeuraient ceux-là mêmes de l'ancêtre, son père le considérait d'un autre œil. Il le traiterait désormais en véritable adulte et même avec cette sorte de complicité masculine dont font preuve entre eux les conjurés ou les initiés. Dans le même temps — et quoiqu'il demeurât lui-même capable de raconter l'épopée familiale — il se sentait déchargé de cette mission. Devoir accompli ! il reprenait souffle, avec le soulagement du coureur de relais qui vient de passer le *témoin* au suivant...

La Furie était une si petite bourgade qu'il fallut bien, dans les années 60, envoyer en pension au loin l'aîné des garçons. Il ne revenait parmi les siens qu'aux vacances scolaires, et on l'y accueillait avec une telle impatience et une telle tendresse qu'on manifestait peut-être un peu trop d'indulgence aux idées et aux inventions qu'il rapportait de la ville.

Quand il eut pris ses quatorze ans, son père jugea le moment venu de lui transférer la charge et la tradition.

— Je vais t'enseigner le Récit, lui dit-il ; et, comme l'ont fait ton père, ton grand-père et le père de ton grand-père, tu vas l'apprendre par cœur, de façon...

— Quoi ! le... le grand machin sur la Révolution et l'Empire ?

— Oui, fit l'autre d'un ton offusqué, ce grand « machin » dont chacun de nous, de père en fils...

— Mais vous, papa, vous le connaissez par cœur ?

— Évidemment.

— Alors, attendez...

Il monta fouiller dans sa valise d'interne et revint en brandissant...

— Qu'est-ce que c'est que ça ?

— Ne me dites pas que vous n'avez jamais vu de magnétophone !

— J'en ai entendu parler ; mais je ne vois pas en quoi...

— Mais si, voyons, papa. Regardez !

Il brancha l'appareil, tourna un bouton, un voyant rouge s'alluma.

— Allez-y.

— Comment cela ?

— Dites le début du récit, là, devant le micro.

— Mais...

— Allez-y : ça tourne !

Presque malgré lui, le père commença de réciter l'épopée familiale.

— Arrêtez maintenant, papa.

Il manœuvra prestement une manette puis une autre ; un voyant différent ouvrit son œil rouge.

— Écoutez !

Le récit avec toutes ses intonations, sa chaleur, sa progression... Le père, fasciné, ne quittait pas des yeux ces bobines si lentes, ce ruban monotone et patient ; simplement, il reconnaissait mal sa propre voix.

— Et maintenant...

Le garçon appuya sur un bouton à l'écart des autres ; un signal vert s'alluma ; les bobines, soudain réveillées, se mirent à tourner très vite en sens inverse.

— Et voilà : tout est effacé !

Le père, à son tour, parut se réveiller.

— Bon. Tout cela est très ingénieux, mais sans rapport avec la tradition familiale. Magnétophone ou pas, tu vas, à ton tour, apprendre mot à mot le récit et...

— Sûrement pas, fit tranquillement le garçon :

d'abord, je n'ai aucune mémoire, vous le savez ; et puis j'ai toujours été le dernier en récitation.

— Il ne s'agit pas du tout de « récitation » mais de...

— Écoutez, papa, que désire-t-on ? Que ce récit passionnant soit conservé intact, soit sauvé de l'oubli. On veut en conserver les archives vivantes. Si c'était une suite d'images, on en ferait un microfilm ; c'est un récit : eh bien, on en fait une cassette et le voici à l'abri de tout !

— Mais tu comprends bien qu'il n'y a aucun rapport entre ce dont tu me parles et une tradition orale qui se perpétue depuis deux siècles !

— Écoutez, papa : si je me bousille en moto l'an prochain, la tradition orale sera perdue de toute façon ! Tandis que si nous enregistrons le récit... Et puis, encore une fois, vous le connaissez et vous le dites mieux que je ne saurais jamais le faire.

— Mais, mon enfant... (Il sentait qu'il ne parviendrait pas à le convaincre ; sa voix s'altéra si brusquement que le garçon le dévisagea avec surprise.) Mais, mon enfant, même si tu le récites mal, même si tu te trompes, même si tu en oublies la moitié, c'est mieux que tout enregistrement. Tu comprends cela ?

— Pas du tout.

Il considéra cette face si sincère, ce regard droit, cette main habile et nerveuse encore posée sur l'appareil noir. « Nous voici parvenus au grand tournant, pensa-t-il. *Ils sont d'une autre race...* » L'espace d'un instant, ce furent le Récit, la Tradition familiale, qui lui parurent inexplicables, inutiles.

— Écoutez, papa. Je vais mettre en marche et vous allez, une fois pour toutes, enregistrer ce récit d'un bout à l'autre. Jamais il n'aura été aussi fidèlement reproduit, jamais il ne sera plus sûrement conservé. Voulez-vous que je vous laisse seul pendant ce temps ? ajouta-t-il par discrétion.

Ce dernier trait fut celui qui blessa le plus profondément son père. Il était devenu très pâle ; il acquiesça sans un mot. « Essayons, du moins, de sauver de cette façon le Récit... » songeait-il. Le garçon mit l'appareil en route et, sur la pointe des pieds, quitta la pièce.

Jamais il n'a mieux récité l'épopée ; des larmes, par instants, lui venant aux yeux. Puis il a rappelé le garçon et, à son tour, a quitté la pièce sans une parole.

Le soir, durant le dîner familial, il n'a pas pu avaler une bouchée. Les autres ne lui ont fait aucune observation, mais lui-même n'a guère observé les autres. « C'est de la lâcheté pure et simple, songe-t-il. Je n'ose pas prendre sur moi d'interrompre la tradition, alors que le temps en est venu... Des archives ? Mais les archives ne sont qu'un cimetière ! »

A ce mot, à cette pensée, son visage s'est figé. Personne n'ose fixer sur lui son regard. Il se lève de table, dit bonsoir à tous d'un geste plutôt que d'une parole et monte s'enfermer dans sa chambre. Son parti est pris, d'un coup.

Tard dans la nuit, tandis que dort toute la maisonnée, il gagne à pas de voleur la pièce où, sur une table, l'appareil noir ressemble, dans la pénombre, à une bête tapie sur elle-même. Il en a fort bien retenu le fonctionnement : il appuie sur le bouton qui se trouve à l'écart des autres ; le voyant vert s'allume, seule lueur dans cette pièce endormie, et les bobines se mettent en marche, en silence, très vite.

Il attend, en respirant un peu trop fort, que le Récit soit entièrement effacé puis il éteint l'appareil qui redevient un bloc de matière morte.

Il passe alors dans le vestibule, s'enveloppe dans sa grande cape, enroule autour de son cou un foulard écarlate qui appartenait à son père. Rien sur la tête ! et il

LA FURIE

éprouve une joie d'enfant à sentir ce vent vivant soulever
ses cheveux tandis qu'il monte, sous la haute lumière de
la lune qui ne tire de son étrange silhouette qu'une ombre
transparente, qu'il monte vers l'église de la Furie et le
petit cimetière qui l'entoure. Ils sont là, côte à côte, son
père, son grand-père et le père de son grand-père,
invisibles, faussement inattentifs.

Il n'y a rien à leur expliquer. Ils savent, ils comprennent — et chacun d'eux n'en ferait-il pas autant ? Il n'a
donc pas à se justifier ; simplement, dans ce désert
lunaire, pour la dernière fois et pour eux seuls, d'une
voix forte et sans une seule hésitation, il va faire le Récit.

LE RÉGIME APPLETON

Lorsque Sa Gracieuse Majesté mit à la retraite le général Appleton, elle ne le « réduisit pas à l'inactivité » pour la raison que, depuis vingt ans, il ne faisait plus rien. Mais il se trouva privé de ces marques extérieures de respect auxquelles il ne prenait plus garde, et il commença de souffrir. Le respect ne lui manquait pas (il en restait entouré), les marques seulement. Pareil à une bâtisse qui se lézarderait aussitôt les échafaudages retirés, il se mit à douter de sa propre valeur et surtout de sa personnalité ; c'est bien le pire tourment pour ceux qui n'en possèdent aucune.

Afin de s'affirmer, il résolut de rédiger ses mémoires, décision dangereuse qui le conduisit à pressentir que rien de notable ne lui était arrivé. Comme il ne jouissait d'aucune mémoire, il mit cela sur le compte de ceci et multiplia les voyages, les enquêtes, les entretiens à la poursuite d'un passé fantôme et d'ailleurs inconsistant. C'est ainsi qu'il outrepassa ses forces et qu'une attaque le terrassa.

Pour un général en retraite, le mot était flatteur ; mais les « contre-attaques » que lancèrent les médecins lui parurent misérables : sieste, chaise-longue, promenade à petits pas... Il réclama en vain une thérapeutique virile : des piqûres, une opération, que sais-je ! Il voulait souffrir. On lui concéda des élixirs, des tisanes et des pilules de diverses couleurs.

Mais ce qui porta à son comble l'humiliation du général fut le régime alimentaire auquel on soumit celui qui avait si longtemps passé pour la plus redoutable fourchette de l'armée des Indes. Des cervelles, rien que des cervelles de mouton ! Quoi de plus déplaisant à la longue ? Surtout pour les moutons : on en décervelait des troupeaux entiers pour maintenir en vie, ou plutôt en veilleuse, le général Appleton. Et c'est là que commence l'histoire.

Il y avait deux mois que le général suivait son régime lorsqu'il se mit à rêver chaque nuit, non plus de batailles ou de défilés, mais de clairs ruisseaux, de prés, d'herbe grasse. Un matin, il se réveilla en sueur : il venait d'échapper à grand-peine à un loup.

Au cours du déjeuner, lorsque Mrs. Appleton entama la discussion quotidienne sur le temps qu'il allait faire, elle n'obtint pas de réponse. Le général considérait avec attention son assiette ; cette cervelle, avec ses circonvolutions sinueuses, semblait le fasciner. Au lieu de se rendre au fumoir, ainsi qu'il le faisait après chaque repas depuis vingt ans, il s'enferma dans sa bibliothèque et s'épuisa à retrouver, dans l'*Encyclopédie britannique,* la théorie des localisations crâniennes de Franz Josef Gall.

Ici se trouvait le siège de l'Imagination... Le général porta sa main à l'endroit correspondant de sa propre tête et le trouva douloureux. Nul doute : une mutation était en cours. Il s'assit devant la baie vitrée et contempla la prairie qui s'étendait devant le manoir. Cette herbe fraîche, épaisse, n'avait jusqu'alors évoqué pour lui que les joies obstinées et taciturnes du golf. Il la regardait, à présent, avec un plaisir indicible, il la mangeait des yeux. De tout cela il ne tira aucune conclusion, seulement un certain malaise.

Comme il passait des journées entières devant sa fenêtre sans déranger personne, on en conclut qu'il se portait mieux. Le médecin intensifia son régime :

— Mais si, général, forcez-vous un peu puisque cela vous réussit ! Une petite cervelle frite, le matin, non ? Rien de plus léger.

— Et des beignets de cervelle avec le thé peut-être, hasarda Mrs. Appleton.

Le général souffrit de la tête. En se référant au schéma de Gall, il était clair qu'après l'Imagination, l'Intuition et le Jugement changeaient à leur tour. Un matin, le siège de la Mémoire se trouva atteint.

— Puisque vous allez mieux, Charles-Albert, vous devriez reprendre la rédaction de vos souvenirs, suggéra la générale que ces interminables stations devant la prairie finissaient par inquiéter.

— Oui, ma chérie, dit Appleton.

Il était devenu d'une docilité beaucoup plus alarmante que ses anciennes colères.

Sans consulter un ouvrage militaire ni une seule carte, sans relire ses notes, sans rechercher de témoins, il rédigea d'un trait un chapitre extrêmement poétique qui racontait la transhumance, les affres de la tonte, la bonne hargne du chien.

Personne ne prit connaissance de ces feuillets qu'il amassait avec bonheur, ils eussent composé un récit sans égal, si un incident à peu près inexplicable n'était venu interrompre cette œuvre.

Un après-midi, entre la sieste et le thé, le boucher de Templebar, à qui la maison Appleton devait pour plus de trente guinées de cervelles de mouton, prétendit se faire payer. La cuisinière se trouvait au village, Mrs. Appleton

au fond du jardin ; l'homme monta donc — tablier
sanglant, manches retroussées, affiloir au côté —
jusqu'au cabinet de travail, frappa et, ne recevant pas de
réponse, poussa la porte. Lorsque le général l'aperçut,
ses yeux s'agrandirent d'épouvante, ses mains battirent
l'air, et il tomba mort en exhalant une sorte de bêlement
plaintif.

LA MARCHANDE DE NOISETTES

J'avais tellement désiré cet emploi que, lorsque je l'obtins, avant même de songer à m'en réjouir, j'éprouvai la certitude qu'il allait me falloir *payer* cette grâce.

J'ai toujours été un enfant craintif et, d'aussi loin qu'on se souvienne de soi, il me semble que j'ai toujours perçu et redouté le « donnant-donnant » du monde. C'est pourquoi, dès mon plus jeune âge, je me suis agrippé à tous les rochers qui jalonnaient ma route ; ils étaient solides, moi pas. Les étapes obligées de ma vie, de toute vie, m'effrayaient d'avance : l'entrée au lycée, la communion solennelle, les examens, la conscription... Celle-ci, parce qu'elle me semblait la plus redoutable, je l'éludai en me faisant « réformer » grâce à un *rocher :* un vieil oncle qui connaissait je ne sais qui dans l'administration militaire. Du moins, cette épreuve m'eût-elle, quelque temps encore, dissimulé cette autre qui enténébrait mon chemin depuis l'enfance : gagner sa vie. Oui, il allait bien me falloir, comme chacun, gagner ma vie... Ce « comme chacun » est le tournant de ceux qui précisément ne se sentent pas comme les autres.

Cette fois encore, je visai un rocher, une place stable, traditionnelle, symbolique même : gardien du cimetière le plus célèbre du monde, le nôtre, le *Campo-santo* de Gênes. Concierge, guide, veilleur de nuit, c'était tout cela à la fois — mais dans une atmosphère de silence, de respect, d'*égalité* qui seule pourrait me rassurer. Ce projet, ou plutôt cet espoir, s'imposa à moi dès ma première visite au Campo-santo. J'avais douze ans et déjà peur. Dans cet univers noir et blanc, je regardais avec envie ces hommes qui portaient la sombre livrée de la sécurité, du secret et d'un ordre qui me comblait. Ils vivaient à l'écart de toute cette violence, de cette concurrence incessante dont j'avais compris, dès ma première semaine d'écolier, qu'elle était la règle des hommes mais aussi que je ne m'y ferais jamais. Ils vivaient à l'écart, ces hommes à l'uniforme noir, et pourtant c'étaient nous les exilés. Je n'aurais jamais pu, alors, formuler une pareille impression, mais elle me marqua si tenacement que, parvenu à l'âge de « choisir ma voie », comme disait ma mère (mon père était mort avant que je sache parler et ne fut jamais pour moi qu'une paire de moustaches sur une photo ornée d'un buis), je pus affirmer qu'elle était toute choisie. « Mais, mon pauvre petit... » — Quoi que j'aie envisagé, dans n'importe quel domaine, je ne me souviens pas que ma mère ait jamais répondu autre chose que : « Mais, mon pauvre petit... » Je lui prouvai combien, au rebours de ses craintes, cet emploi était stable. Même si des crises ou des révolutions bouleversaient l'Italie, l'Europe, le monde, n'y aurait-il pas toujours des morts à enterrer au Campo-santo ? Et des visiteurs pour venir confronter ses célèbres monuments funéraires avec les images qu'on en a répandu partout ? Cet emploi n'était-il pas le rocher des rochers ? — Ma seule crainte venait de ce qu'il me semblait que des centaines de mes compatriotes dussent briguer, eux aussi, cet emploi. — Eh bien, non. Il se trouva que j'étais le seul candidat, avec un manchot et un analphabète. Cela ternit un peu ma joie. Pourtant elle m'envahit de nouveau lorsque j'essayai mon uniforme : désormais, j'allais être habillé, logé, nourri, chauffé, entretenu pour ma vie entière. J'eus le tort de m'en ouvrir à mon jeune frère qui me répondit seulement : « Les prisonniers aussi ! » — Je le plaignis. Le malheureux avait encore à affronter toutes les épreuves d'une vie ; pour moi, il ne m'en restait qu'une seule, la dernière de toutes. Encore venais-je, d'un seul coup, d'accomplir la plus grande partie du chemin jusqu'à la mort et possédais-je, plus que quiconque, le loisir et le privilège de m'apprivoiser à elle en ce lieu.

Voici de nombreux mois que je remplis mes fonctions et chaque jour fait mes délices à l'égal du premier. Ils se ressemblent tous, Dieu merci. C'est l'imprévu qui fait notre malheur, et le bonheur durable n'est qu'une suite d'habitudes. Me voici même devenu à mon tour (je ne l'avais pas prévu) un *rocher* pour tant de parents éplorés, de visiteurs perdus. Calme, souriant, assuré, j'éprouve non sans un peu de honte l'ivresse de paraître le contraire même de ce que je suis, de ce que j'étais. Le soir, à l'heure où l'on ferme les portes de bronze, je n'abrège certes pas, comme le font les autres gardiens, ma tournée d'inspection. Je fais le tour du cimetière tout entier, comme un châtelain prend plaisir à galoper jusqu'aux confins de son domaine. Je passe en revue les monuments immobiles avec l'impassibilité sourcilleuse du chef militaire. *Ils me sont soumis.* Les voici donc, ces marbres si célèbres, ces scènes qui en imposent aux gens simples et font rire les esthètes, ces faits divers pétrifiés qui, les premiers soirs, m'effrayaient un peu mais qu'à présent je considère *d'égal à égal.* Pour moi, c'est une sorte de revanche contre tous ceux qui, depuis l'enfance, m'en ont imposé de quelque façon : professeurs, curés, camarades plus robustes que moi, filles au sourire effronté... Eh quoi ! personne ne connaît leur nom, tandis que ce troupeau docile dont je suis le berger était et restera célèbre quand mes oppresseurs seront morts. Car ils marchent pas à pas vers l'échec, la vieillesse, le tombeau, tous ceux qui ont fait de moi un jeune homme terrorisé. Mais ces marbres, sur lesquels je domine, sont inaltérables. Enfin, presque ! et je les entretiens de mon mieux. Il me semble que c'est moi-même que je *prolonge* de la sorte.

Certains soirs, seul dans mon royaume ténébreux et sonore (mais de quoi y aurais-je peur ?), j'ai l'impression d'avoir partie liée avec ces morts sans âge plutôt qu'avec les redoutables vivants qui ont le mien. J'admire comment, d'instinct, je suis allé me réfugier pour la vie avec ce qui pouvait me rassurer le plus. Les lourdes portes de métal, c'est sur la ville, ses surenchères épuisantes, son cruel « Malheur aux faibles ! » qu'elles se referment chaque soir. Sur ces vivants si périlleux, si changeants, si contagieux. A longueur de journée, de visites, je les prends en pitié. Et leur terreur devant la mort ! Ils ne savent pas quel calme, quel ordre les attend, au contraire. Ils redoutent l'heure immobile et muette parce que leur vie n'est qu'une course et un bavardage sans fin. Pour moi, c'est trop peu dire qu'au poste où je suis assigné j'apprivoise la mort. Il me semble que j'ai déjà franchi la frontière et que je peux m'écrier, comme après chacune de mes épreuves si redoutées : « Quoi ! ce n'était donc que cela ? »

J'ai demandé comme une faveur à mon collègue Barbieri la charge d'inspecter et d'entretenir une partie de son secteur en sus du mien.

— Mais il n'y a pas de raison !

— Si, Barbieri : je suis plus jeune que toi, j'aime ce travail et je me sens inoccupé.

— Après tout, si tu y tiens... Mais ne le dis pas au gardien-chef.

Ce que je ne dirai ni au chef ni à Barbieri, c'est ce qui, dans cette besogne supplémentaire, m'attire. Je vais ainsi pouvoir visiter et soigner à loisir *la Marchande de noisettes...* Le monde entier connaît ce monument, le plus touchant et le plus inattendu de tout le Campo-santo. Cette petite marchande qui, par tous les temps, se tenait sur les marches de la Sainte-Trinité et, sans se lasser, répétait la même phrase pour vendre ses fruits secs. Il me semble que je l'entends, que j'entends chacune des intonations de sa voix patiente, un peu lasse le soir, un peu enrouée l'hiver. Que je vois ses mains, rouges de froid, grises de monnaie, défilant inlassablement son chapelet de fruits d'automne. Encore ne puis-je l'imaginer que d'après son fantôme de marbre, car on ne sait rien d'elle. Rien si ce n'est que, sou par sou, cette « pauvresse » (comme disent les riches) a économisé de quoi faire sculpter *comme eux,* mais de son vivant, son effigie. Cette statue la ressuscite telle qu'ont pu la voir des milliers d'habitants de cette ville. La voir, ou ne pas la voir, au contraire ! Et c'est pour cela, sans doute, pour répondre au mépris ou, plus humiliante encore, à la pitié des riches Génois, qu'elle a dû se ruiner, porter les mêmes vêtements en toute saison, ne pas manger à sa faim pour pouvoir payer le sculpteur et pousser à jamais ce cri de marbre : MOI AUSSI, J'EXISTE !... Je l'entends, je l'entends dans la nuit du Campo-santo. Elle seule est vivante, elle seule a payé de sa vie le droit de survivre, choisi de n'exister vraiment qu'après sa mort — elle seule.

Je l'entends, je la comprends et je l'aime : moi aussi je me suis enterré vivant dans ce métier, dans ce lieu parce que les autres ne me regardaient pas plus qu'ils ne la regardaient, parce que leurs regards pareillement me traversaient, me réduisaient à néant.

Elle est ma sœur. Sans un mot échangé je la comprends, moi seul, elle seule, et je l'aime. Je ne sais même pas exactement quand elle a vécu : l'inscription est à demi effacée — et qu'importe ? Elle et moi sommes à jamais hors du temps. Elle est ma sœur, et ma mère, la vraie. Elle m'a frayé la voie, rendu courage, rassuré définitivement. « Mais, mon pauvre petit... » — Jamais, jamais elle ne m'eût dit ces mots, jamais regardé en hochant la tête et, devant elle, je ne baisse pas la mienne et je ne me tiens pas le dos rond. Elle, du moins, ne change pas. Elle m'apprend patiemment la mort inévitable, ou plutôt l'immortalité qui est son royaume.

Chaque soir, quand les vantaux de bronze me séparent enfin de la ville, de tous ces inconnus qui sont en train de compter leur argent, de dresser leurs plans ou de forniquer — en train de mourir sous la haute surveillance les uns des autres ; chaque soir, quand je me sens retranché dans mon château fort, loin de la peur, du mépris, du donnant-donnant, quand le temps s'est enfin arrêté, je me rends, le cœur chaud, auprès de mon amie. Je l'aperçois de loin, au fond d'une avenue de sommeil et de silence, debout entre ciel et terre, inaltérable, définitive. Et moi, je la rejoins. Chaque pas m'exile un peu plus, je le sais ; chaque pas me sauve. J'ai choisi mon camp. Je n'aurai jamais connu les plaisirs des vivants, c'est vrai ; mais jamais connu non plus leurs comédies ni leurs combats. Ils se moqueraient de moi, ou plutôt m'ignoreraient, *comme elle*. Je ne joue pas leur jeu. Je ne saurai pas ce qu'on y gagne, mais je pressens trop ce qu'on y perd : la paix, la merveilleuse paix de marbre, celle que j'ai trouvée ici et que nul ne pourra me ravir, pas même la mort. Je la partage avec elle ou plutôt

elle me partage la sienne. Nous sommes pareils à deux
étoiles mortes dans l'espace glacé. A jamais je suis entré
dans le champ de cet astre immobile. Elle est ma sœur,
ma mère. Elle est mon épouse, ma compagne d'éternité.
Ma vie.

OUAH OUAH...

La première fois que son chien lui adressa la parole, Xavier de S. tourna la tête en tous sens, marcha jusqu'à la porte de sa bibliothèque (dont l'odeur tenace avait fini par faire un fumoir), inspecta le hall, cria : « Il y a quelqu'un ? »

Il n'y avait personne que le cerf, les trois daims et le sanglier dont la tête empaillée et les yeux fixes ne se tournèrent pas vers lui. Personne que ses habits de chasse, de pêche, de pluie, de jardinage, pendus là, dépouilles aux épaules étroites. Le « manteau de sortie » se mourait, étouffé par les autres : il y avait des mois que Xavier de S. ne *sortait* plus.

« Tiens, pensa-t-il, j'avais pourtant cru entendre... »

Il rentra dans la pièce austère, toute reliures et boiseries ; son chien le suivait des yeux d'un air excédé et ne le quitta du regard que quand il se fut, de nouveau, jeté plutôt qu'assis dans le fauteuil de cuir, gercé par tant d'hivers, et dont le fond commençait à perdre la forme des fesses de feu son père pour se modeler sur les siennes.

Il tendit la main vers le flacon de cognac afin de s'en verser un second verre.

— Non, dit le chien.

— Quoi ? (Mais à quoi bon se lever de nouveau ?)

— Tu bois trop, tu le sais bien.

— C'est possible, répondit Xavier de S., mais, jusqu'à nouvel ordre...

Il s'arrêta. A qui parlait-il donc ? Il se pencha pour observer son chien, mais celui-ci regardait ailleurs, se mit à bâiller, la langue roulée et les yeux clos, puis, se relevant, tourna trois fois sur lui-même avant de retrouver la même position.

— Tu me prends pour un imbécile ? demanda son maître que cette comédie de l'innocence n'avait pas abusé.

Il tendit de nouveau la main vers le flacon de liqueur, puis se ravisa.

— Je n'en ai pas envie, murmura-t-il afin de sauver la face.

A 3 heures, ils allèrent se promener comme chaque jour.

— Laisse donc ton fusil, grogna le chien, tu n'as pas plus envie de chasser que moi. Et puis, manger du gibier à tous les repas...

Xavier de S. s'avisa qu'il se faisait un devoir de tirer quelques cartouches tous les après-midi mais que, depuis qu'il avait renoncé à suivre les chasses à courre, il ne prenait plus aucun plaisir à cet exercice. « Je n'avais tout de même pas besoin de cette bête pour m'en apercevoir ! » songea-t-il avec irritation. Mais il savait que c'était faux : s'ils étaient deux à le penser, la chose n'était-elle pas plus sûrement vraie ? Il laissa donc son fusil et prit sa canne, la vieille, toute noueuse et noircie, et...

— Non, l'autre ! commanda le chien. Si nous rencontrions Éliane, tu aurais piètre allure avec ce vieux bâton !

Que répondre ? Son maître ne se promenait jamais sans flâner autour du petit étang qui séparait leurs deux domaines, avec l'espoir de rencontrer sa voisine. Et pourtant, il la « détestait » ! C'était un bien grand mot qu'il avait adopté comme seule vengeance le soir de cette chasse à courre où Éliane de V. s'était si mal conduite avec le jeune baron C. De ce jour, il n'était plus retourné aux réunions « de tous ces petits hobereaux » (dont il faisait partie), et s'était terré chez lui entre sa pipe et son cognac, entre son horloge et son chien.

Il renfourna la vieille canne torse dans la patte d'éléphant qui en contenait une bonne douzaine et choisit celle que préférait son père : un jonc à tête d'or qu'il lui avait envié durant toute sa jeunesse.

— Alors, tu te dépêches un peu ?

Il prit bien garde de ne pas emprunter le chemin de l'étang : moins pour bouder Éliane que pour ne pas donner raison à son chien. Il s'attendait, à tout moment, à ce que l'animal lui en fît la remarque ; mais l'autre hypocrite feignait de s'intéresser à cent odeurs éparses et reniflait à ras de terre, ses oreilles traînant dans l'herbe humide.

— Bon, dit enfin son maître excédé, eh bien, si cela ne te fait rien, nous allons rentrer à présent...

L'autre fit mine de n'avoir rien entendu.

Le lendemain matin, comme Xavier descendait l'escalier, il entendit son chien avant même de l'apercevoir.

— Tu ne t'es pas rasé. Cela fait trois jours.

Malgré lui, le maître passa la paume de la main sur ses joues.

— Et alors ? Qu'est-ce que cela peut bien te faire ?

— A moi, rien. Mais si nous avions de la visite ?

Xavier haussa les épaules, mais il avait tressailli : car pas un seul matin il ne descendait l'escalier sans espérer, contre toute raison, qu'aujourd'hui peut-être...

— Tu devrais aussi faire cirer tes bottes.

— Non mais...

— Tu as oublié de me déshabiller hier soir, reprit le chien. On dort mal avec son collier. Je me demande où tu as la tête !

— Excuse-moi, grogna Xavier.

Vers midi, étonné de ne pas le voir rôder autour des cuisines, il siffla son chien, puis sortit l'appeler du côté du potager, du côté de la roseraie, à l'orée de la futaie...

L'autre revint une heure après, haletant, crotté, la langue pendante.

— Où es-tu encore allé traîner ?

— Tout le monde ne peut pas rester cloîtré comme un sauvage, répondit le chien en s'ébrouant. (Puis après un moment :) Il est vraiment joli le parc de la Charmière. (C'était le domaine d'Éliane.)

— J'en étais sûr ! Personne ne t'a demandé d'aller te montrer là-bas !

— C'est vrai, personne ne me l'a demandé.

Xavier, qui l'observait, crut le voir rire.

— Tu as fini de faire cette tête-là ? Tu te crois dans un dessin animé ?

— C'est vraiment triste cette table avec un seul couvert, remarqua le chien. Ton père en faisait toujours ajouter un autre : « la part du pauvre », tu te rappelles ?

Xavier entrouvrit la porte de l'office.

— Mathilde, ordonna-t-il d'un ton faussement dégagé. Ajoutez donc un second couvert... Comme autrefois, ajouta-t-il très vite, vous vous rappelez ?

Éliane arriva à cheval. Qu'elle était belle ! Xavier en eut le souffle coupé. Pas seulement belle, mais...

— Je vous demande pardon, Xavier. (Il l'aida à descendre. Ce corps entre ses bras, si léger et si lourd : abandonné, un seul instant...) Je vous demande pardon de vous déranger.

— Jamais !

— Mais j'étais inquiète pour votre chien. Ah ! le voici... Il est donc revenu. Je l'avais vu rôder, je le croyais perdu.

« Un chien ne se perd jamais, chez nous, elle le sait comme moi ! songea Xavier. Et pourtant elle est venue... »

— Entrez, Éliane. Entrez, cela rendra un peu de vie à cette maison !

— Non, je ne veux pas vous déranger : je vois que vous attendez quelqu'un pour le déjeuner.

— Oui, vous Éliane.

— Mais...

— C'est ainsi tous les jours, ajouta-t-il à voix basse afin que son chien ne puisse l'entendre.

— Xavier !

Il s'aperçut que l'animal le regardait avec « sa tête de dessin animé ». Il fut pris d'une sorte de fureur, ou de gêne, ou de honte ; et, comme l'autre poussait un petit grognement de satisfaction :

— Toi, tu vas me faire le plaisir de te taire *maintenant !*

— Oh ! Xavier, fit Éliane en prenant sa main dans la sienne, vous êtes injuste. Je n'ai jamais vu une bête aussi intelligente. Il ne lui manque que la parole...

LA HONTE

— Vous n'avez pas honte ! dit le médecin.

En fait, la chose l'amusait plutôt, mais il ne pouvait pas abandonner son personnage. A moins de trente ans, pour affronter ce bourg méfiant, cagot, où semblaient n'habiter que des vieux et des vieilles, il fallait bien y mettre du Molière : un peu de Tartuffe et pas mal de Diafoirus.

— Vous n'avez pas honte !

Avouez qu'il leur venait des idées extraordinaires ! Il avait bien du mal à ne pas en rire, malgré les circonstances. La mère, l'épouse et la sœur, les trois Parques assises autour de leur mourant, de noir vêtues déjà, et sans une parole... Sous chaque coiffe, pareil à un poing serré, le chignon avare tirait en arrière les cheveux blancs ou gris. La mère, l'épouse, la sœur (mais on les discernait à peine), les yeux froidement fixés sur leur bonhomme de fils, de mari et de frère, allongé, ses mains croisées sur le ventre, comme les leurs, sans une plainte. Dans cette chambre où l'air n'était plus composé que de soupirs, le seul personnage vivant paraissait être l'horloge. Une horloge de la même famille qu'eux : droite et noire, avec un visage impassible, à peine plus pâle, et un cœur aussi paisible mais moins discret que le leur.

Trop discret et, de jour en jour, plus lent et moins audible, le cœur du vieil homme allongé ! De quoi se mourait-il ? De mort, de temps, d'usure. Le médecin passait le voir chaque jour, pour rien, parce que la maison se trouvait sur son chemin. Il faisait les mêmes gestes, répétait les mêmes paroles : une sorte de rituel triste et vain. « Monsieur le docteur, est-ce qu'il est perdu ? » demandait l'épouse. « Je ne peux plus rien pour lui », répondait-il hypocritement. Mais à la sœur, il avait eu le tort de déclarer : « Je crois bien qu'il est perdu. » Elle l'avait aussitôt répété aux deux autres ; et c'est sans doute ce qui expliquait...

— Vous n'avez pas honte !

Ce qui expliquait que, ce soir, il avait trouvé le malade posé sur son lit, vêtu de sa chemise empesée, de sa cravate noire, de son habit de cérémonie, de ses souliers pointus.

— Il est mort ?

— Non, Monsieur le docteur.

— Mais alors ?

— Puisqu'il est perdu, nous l'avons habillé pendant qu'il vit encore.

— C'est plus commode, avait expliqué la vieille : après, ils durcissent d'un seul coup et on a bien du mal. Je me rappelle qu'avec mon défunt...

— Vous n'avez pas honte !

— Mais, dit la sœur, vous m'aviez dit vous-même...

— Je vous ai dit, et j'ai eu bien tort, que « je croyais bien » qu'à présent, en effet... Mais rien n'est jamais sûr : hier soir, il respirait un peu mieux. Ce qu'il faut, c'est ne pas le remuer, ne pas l'agiter. Et puis, poursuivit-il en baissant la voix, il a encore toute sa

71

connaissance. Vous imaginez ce qu'il a dû ressentir, tandis que vous l'endimanchiez ?

— Mais c'était pour lui faire honneur, dit l'épouse qui pleurnichait.

— Lui faire honneur ?

— Tout le village défilera devant lui, même les enfants des écoles. L'ancien receveur des postes ne peut pas être fagoté, ajouta-t-elle avec une sorte d'orgueil.

— Vous n'avez pas honte !

Mais il s'était contraint pour ne pas rire. (Il avait trente ans et ne moisirait sûrement pas dans ce village.) Il les regardait : les yeux à terre, bossant du dos, trois écolières prises en faute. Il sentait sa puissance et en éprouvait un peu de honte.

— Allons, reprit-il d'un ton radouci, à demain.

Mais on vint le chercher dans l'heure en s'excusant beaucoup de le déranger encore ; cette fois il était mort.

— Comment cela ? Mais tout à l'heure...

Il le trouva mort, en effet : rien de changé, sauf la bouche ouverte et les yeux fermés. Mais il était revêtu de sa vieille chemise ; le costume des dimanches, la chemise dure et les souliers brillants étaient soigneusement rangés sur une chaise.

Dès le départ du médecin, les trois femmes (« Vous n'avez pas honte ! ») avaient déshabillé en hâte leur bonhomme. « Soulève-le... Non, plus haut !... Tire sur la jambe, toi... Bien... Pousse la tête en avant, que je défasse le système de la cravate... Attention, tu serres trop... Bon, l'autre manche à présent... Dépêchez-vous donc !... » Remué en tous sens, plié en deux, redressé, retombant, il usait ses dernières forces, son dernier souffle à protester, mais en vain : elles ne voulaient plus avoir honte. A un moment, elles remarquèrent qu'il était devenu plus facile à manier.

LES DANGERS DE LA FOI

Le « coin fenêtre » sortit de sa poche un roman policier, le « coin couloir » un magazine polisson, et leur regard fut perdu pour les autres. L'homme aux cheveux gris tira de la sienne un chapelet, objet honteux qu'il dissimula au creux de ses mains et dont on ne pouvait deviner l'existence qu'au frémissement de ses lèvres et à la soudaine transparence de son regard. Mais il ne prononçait aucune des paroles convenues ; il se contentait de serrer si fort son chapelet que les branches de la croix meurtrissaient sa chair. « Mon Dieu, disait-il, ce train, quelle cage blindée, quel coffre à secrets ! Chacun de ces voyageurs a son but, son espoir ou son désespoir que lui seul connaît. Aucun d'eux ne lit la même heure à sa montre. Chacun est seul, et je suis seul. Seigneur, asseyez-vous à l'une des places vides et demeurez avec nous... »

Un jeune homme pénétra dans le compartiment. Il boitait si profond qu'il paraissait le faire exprès et qu'on restait, un instant, étonné qu'il n'éclatât pas de rire le premier. La plupart des infirmes apprivoisent leur disgrâce, ils en font une sorte de danse pathétique, ou un rituel si laborieux qu'il impose le respect. Mais celui-ci,

73

son mal ne l'avait pas encore dompté : le bel animal joyeux et libre se révoltait encore.

Tandis qu'il prenait place en se disloquant, avec un sourire d'une humilité insupportable, l'homme au chapelet demandait raison à son Dieu, pour la cent millième fois, de l'Injustice et de la Souffrance et ne recevait pas d'autre réponse qu'un visage ruisselant de sang. Il se sentait directement concerné par cette infirmité et par toute la douleur du monde. Pas une face souffrante ou seulement humiliée qui ne l'interpellât en silence et ne fît vaciller son univers. Comme chacun, il accumulait anxieusement de petits bonheurs dans sa citerne secrète, mais le seul regard d'un être sans défense suffisait à ouvrir la vanne.

Il ne pouvait quitter des yeux le jeune infirme. « Il va s'essuyer le front », pensa-t-il. Lui-même transpirait ; ses articulations étaient douloureuses. Il les fit jouer afin de dissiper cette sensation ; pourtant, il eut presque honte lorsqu'elle disparut. L'infirme avait sorti son mouchoir et il essuyait son front.

Une femme très jeune, assez belle mais dont le visage paraissait *muré,* entra dans le compartiment et, d'une étrange voix qui semblait ne pas lui appartenir, demanda s'il restait une place libre. On lui répondit que oui ; comme son regard continuait d'interroger avec une anxiété grandissante, on le lui répéta, de plus en plus fort — mais son regard mendiait toujours la réponse.

L'homme au chapelet devina, le premier, qu'elle était sourde, sourde comme la terre. Sans un mot, de la tête, il lui fit signe : « La place est libre », et retrouva le cours de ses pensées, de ses prières, exactement le même qu'à propos du jeune homme infirme. Oui, les mêmes questions sans réponse, les mêmes demandes sans espoir, le même mystère de la Douleur du monde : un rocher de cristal. Il dut fermer les yeux car les larmes le submergeaient. L'infirme avait aussi fermé les siens, de lassitude, et la fille avait retrouvé son regard étranger : prisonnière de sa planète morte, de nouveau.

L'homme au chapelet en explorait une autre, en silence. Jamais, jamais il n'était descendu si profond : il s'abandonnait à la compassion, il contractait alliance avec un peuple immense aux yeux implorants, aux gestes entravés. Des visages lui revenaient en mémoire — comment avait-il pu les oublier ? Ce camarade des jeudis anciens, dont la jambe avait été sectionnée, et qui, sur le terrain de football, gardait les buts en béquillant... L'aveugle de chaque soir, qui longeait le bord du trottoir d'un pas de funambule et marchait tranquillement vers l'obstacle invisible, comme nous vers la mort... Son propre grand-père, foudroyé par une attaque, qui s'obstinait à vivre, tel un insecte à demi écrasé, mais en conservant un visage stupéfait...

Ce visage et cent autres entrevus dont il ne se doutait pas que leur image fût restée gravée quelque part en lui, un *quelque part* qu'il était en train d'explorer pour la première fois. La première ou la dernière fois ? Un pèlerinage hors du temps, où chaque pas le laissait plus désespéré et pourtant plus paisible, où chaque pas, volontaire mais inévitable, l'engageait un peu plus.

Le train s'arrêta. Le voyageur taciturne remonta d'un coup du fond de ses gouffres. C'était sa station. Il se glissa hors du compartiment avec la maladresse d'un homme qui s'éveille, descendit à contre-voie, tomba, ne put se relever — ce qui n'était pas étonnant car il boitait profond. Il fut écrasé par un train qui arrivait de l'autre direction et qu'il n'avait pas entendu venir puisqu'il était devenu sourd.

CE QUI S'APPELLE MENTIR

Il était une fois un homme tellement menteur que son âme n'osait plus se montrer, tellement menteur que son corps en devint jaloux et résolut d'en faire autant. Les mains (qui ne sont jamais pures) commencèrent les premières, et doigt par doigt, à se vanter.

— Moi, dit le pouce, j'ai, dans une vie antérieure, été le pouce de l'empereur Néron. Combien de gladiateurs et de rétiaires n'ai-je pas condamnés à mort rien qu'en m'abaissant ! *Morituri te salutant* — c'était à moi, à moi seul que ces mots s'adressaient...

— Bah ! interrompit le quatrième, tu ne portais pas l'émeraude impériale ; tandis que moi j'ai revêtu, en d'autres temps, l'anneau d'or des Nibelungen !

— Rôles bien éphémères ! ricana l'index. Mon nom seul suffit à dire mon importance : j'indique la direction, je suis le chef. Tel que vous me voyez (ou plutôt un peu plus court et plus gras), je fus l'index de l'empereur Napoléon et j'ai conduit la Grande Armée à travers l'Europe. Wagram, Iéna, Austerlitz... pour me reposer de tous ces lieux dont il suffisait que je montre la direction pour qu'ils entrent dans l'histoire, je m'amu-

sais, le soir, au bivouac, à pincer l'oreille des grognards :
« Soldats, je suis content de vous... »

— Je ne connais rien de plus bête que l'histoire, dit
l'auriculaire en s'étirant. D'ailleurs, elle se répète sans
cesse. Mon royaume à moi (et il est de tous les temps)
c'est la légende familiale. Le fameux « petit doigt » qui
renseigne en secret tous les parents du monde, eh bien,
c'est moi...

Ils se tournèrent vers le troisième qui n'avait pas
encore parlé. (Car les menteurs prennent goût aux
mensonges des autres.)

— Et toi ?

— Je vous écoute, fit-il de sa voix grave, je vous
écoute et je ris bien. Vous n'êtes que des apprentis : moi
seul suis majeur — c'est mon nom — et cela me dispense
d'inventer de pareilles sottises pour me grandir...

Les doigts de pied, qui écoutaient ceux de la main,
cherchèrent à leur tour quelques mensonges glorieux ;
mais ils sont si bêtes qu'ils ne trouvèrent rien. La cheville
essaya de prétendre qu'elle n'était autre que la fameuse
« cheville ouvrière » ; personne ne la crut. Le talon,
ignorant comme un métacarpe, raconta qu'il avait, en son
temps, appartenu à Achille — mais cela tourna à la
confusion.

— J'ai appartenu à Jupiter, dit la cuisse, vous
comprendrez que toutes ces maternités successives
m'aient épuisée...

— Eh bien, moi, fit le sexe...

— Chut ! supplia l'âme.

Mais l'autre poursuivit :

— J'ai eu le grand honneur d'appartenir successive-
ment à Don Juan tenorio, à Casanova et au marquis de
Sade. C'est pourquoi je suis si fatigué (ce qui oblige notre
maître à tant mentir) — mais, croyez-moi, j'ai de beaux
souvenirs ! Tenez, un soir de carnaval, à Madrid...

— Silence ! commanda l'oreille gauche, je ne puis supporter de pareils récits : j'ai eu le privilège d'appartenir à Wolfgang Amadeus Mozart !

— Et moi, dit la droite (qui était stupide, ce qui arrive souvent chez les jumelles), à Ludwig van Beethoven.

— On ne te félicite pas, fit le front : il était sourd !

— Ne fais pas le malin à ton tour, interrompit le cerveau. Tu vas sans doute prétendre avoir appartenu à quelque grand homme. Seulement, tu n'es qu'une façade : aucune pensée n'est jamais sortie d'aucun front ; c'est moi seul qui... — Ah ! silence, là-dedans !

Il essaya de faire taire ses deux hémisphères mais, jaloux (comme peuvent l'être des perruches ou des archiduchesses), les deux frères faisaient assaut de mensonges invraisemblables : « J'ai travaillé pour Aristote... C'est moi qui ai découvert la loi de Gravitation... " La raison pure "... Einstein... La pénicilline... » Dans ce tumulte le nez glapissait en vain qu'il avait appartenu à Cléopâtre, et chacun des yeux citait tant de Beautés diverses qu'ils en devenaient vairons.

— En tout cas, conclut la bouche, moi seule n'ai pas à mentir pour affirmer que j'aurai été au service du plus grand menteur que la terre ait jamais porté !

Cette parole, qui remettait chacun à sa place, fut suivie d'un profond silence. Profond, mais pas bien long : tous avaient appris de leur maître le menteur qu'un moment de honte est vite passé.

Le cœur prit son souffle pour parler. L'âme lui intima de se taire, mais il parut ne pas l'entendre.

— Moi, déclara le cœur, je vous surpasse tous. Je suis né le premier jour de notre ère, à minuit juste. Eh oui ! c'était moi le cœur de Jésus de Nazareth dont on parle encore...

— Tais-toi ! dit sévèrement l'âme, tu n'es qu'un muscle comme les autres et qui, parfois, fonctionne bien médiocrement. C'est par un abus de langage qu'on t'attribue tant d'importance et de si nobles qualités. Tu n'es qu'un jeu de mots, tais-toi !

— De Jésus de Nazareth, reprit l'autre et la preuve, c'est que j'ai reçu, un certain vendredi à 3 heures, un coup de lance dont je souffre encore.

— Assez, fit l'âme, assez ! Jusque-là vos mensonges volaient bas ; mais tu viens de franchir la frontière : tu t'es attaqué à la Vérité.

— Qu'est-ce que la Vérité ? hasarda le cerveau.

— A présent, vous ne pouvez plus lui échapper.

Elle se tut car le châtiment approchait. Guerre, cancer ou torture policière, ce sont toujours les mêmes supplices : ceux de Jésus de Nazareth. Les mains menteuses furent donc ligotées, les pieds transpercés, le corps flagellé et le sang coula sur le visage si fier de lui et sur le corps trop complaisant, exécuteur des basses œuvres — le sang qui lave les mensonges.

Quand tout fut consommé, l'âme, avec un grand cri, s'échappa du corps qui brusquement devint inerte aux mains des bourreaux, ou des médecins, ou de l'ennemi.

....

LA LANTERNE ROUGE

Camus cessa de peser sur les pédales de son vélo.
Depuis deux heures de temps, il dépassait ses forces à
chacun de ses gestes. Pourtant, ses mollets, ses cuisses,
son ventre s'étaient si bien résignés à ce supplice que,
lorsqu'il y mit fin, ils le firent doublement souffrir.
Ensuite, après un long moment d'une tétanisation insupportable et qui le fit pousser malgré lui un cri d'enfant,
ensuite seulement il ressentit dans son corps tout entier
un bien-être qui ressemblait à de la gratitude.

Camus descendit de vélo comme un marin met pied à
terre, en titubant un peu. Ses jambes ne savaient plus
marcher : seulement tourner en rond, tel un écureuil
prisonnier. Il s'assit sur le talus, laissa tomber à ses côtés
ce précieux vélo dont l'achat l'avait ruiné et qu'il
entretenait chaque dimanche avec des soins d'horloger
— il le laissa tomber dans l'herbe, sans égard, et le
considéra avec rancune. Il n'en voyait plus l'élégance,
seulement la maigreur et cette sorte de froide cruauté :
un outil de chirurgien, un instrument de supplice...

« Cette fois, pensa Camus, c'est bien fini ! » Et même,
quoiqu'il fût seul, il répéta tout haut :

— C'est bien fini !

Il avait vu les vingt-neuf autres concurrents le distancer, par grappes, puis individuellement, avec un petit salut de la main gantée qu'ils voulaient amical mais qui l'humiliait un peu plus chaque fois. Quand Ducrocq (que les autres appelaient « le minable ») l'avait dépassé, le dernier de tous — non, l'avant-dernier ! — Camus avait mis en jeu toutes ses réserves de puissance : « Ducrocq, ça non ! Han... han... » Roue dans la roue durant un long moment ; et puis, sans forcer, Ducrocq le minable s'était dégagé. Il avait, de la main, fait le signe détestable avant qu'un tournant ne l'avalât à son tour.

« C'est fini, décida Camus. Je n'irai même pas jusqu'à la ligne d'arrivée. Le règlement ? Je sais, je sais ; mais, comme demain j'enverrai ma démission au club... Et jamais plus, jamais plus je ne remettrai les fesses sur ce bon Dieu de merde de saloperie de vélo ! Je vais le vendre, à perte bien sûr, pour acheter un vélomoteur. Le samedi, j'irai me promener, bien peinard, au lieu de me crever et de me ridiculiser... D'ailleurs, « Camus », ça n'est pas un nom de champion. « CAMUS REMONTE LE PELOTON » ? « A CAMUS LE MAILLOT JAUNE » ? Penses-tu ! il leur faut un nom étranger ou rigolo ! »

— En voilà un !

Une petite voix venait de crier avec l'excitation du dénicheur d'oiseaux.

— En voilà un, les gars !

Surgis de partout, un vol d'écoliers se posa autour du coureur fourbu.

— Je t'avais bien dit qu'on ne sortirait pas trop tard de l'école et qu'on les verrait !

— Oui, mais il n'y en a qu'un seul...

— Il est peut-être perdu ?

— Tu es fou ! C'est lui le premier : alors il a le temps et il se repose un peu.

— Monsieur, votre nom c'est comment ?

— Camus, répondit l'autre honteusement, comme si chacun pouvait en déduire qu'il ne ferait jamais un champion.

— Camus... ouais ! fit l'un des garçons pour épater les autres, j'ai entendu parler de lui. Il a gagné un *critérium* (ce nom mystérieux l'enchantait), j'en suis sûr.

— Vas-y, Camus ! cria un autre écolier en lançant son béret en l'air.

D'un tour d'épaule ils se débarrassèrent de leur cartable à dos et ce carré d'herbe devint un bivouac.

— Vous êtes fatigué ?

— Un peu, forcément.

— Ça fait quelle distance ?

Il la doubla :

— A peu près cent vingt kilomètres, répondit-il d'une voix neutre.

— Cent vingt kilomètres ! Tu te rends compte ?

— Ce que c'est chouette, cria le garçon au béret et il se mit à sauter sur place.

— Et il en reste beaucoup à faire ?

— Trois fois rien ! (Mais il aurait été bien incapable de les courir.)

— Et les autres sont loin ?

— Encore assez, fit Camus très gêné.

— Bien sûr, crétin ! S'ils le talonnaient, tu crois que Camus se serait arrêté ?

Soudain, Camus fut saisi de panique : que pouvait-il sortir de bon de toute cette comédie ?

— Allez, cette fois il faut que je remonte en selle. Salut, les gars !

Il se leva, mais crut retomber assis : ses cuisses

étaient redevenues un paquet d'aiguilles et son dos une vieille mécanique rouillée.

— Monsieur Camus, fit cérémonieusement le premier écolier, si vous vouliez nous faire un *sprint*, rien que pour nous ? Une sorte d'arrivée, quoi !

— Rien que pour nous !

— Pour une fois !

— Comme à la télé, ouais !

— Vas-y, Camus ! hurla l'incorrigible.

— Si ça vous fait vraiment plaisir, murmura Camus.

Il était bouleversé. Il se remit en selle d'un geste vague, comme il l'avait vu faire aux plus grands. Ses crampes avaient disparu. Il remonta la route « en danseuse » jusqu'après le tournant, puis bien des mètres encore, afin de pouvoir prendre toute sa vitesse. Il releva la visière de sa petite casquette jaune et violette, bomba son torse rouge, blanc et vert. Sur sa cuisse gauche, on lisait le sigle du club ; sur la droite, une publicité. Il fonçait. Quand il aborda le tournant, il vit les enfants alignés des deux côtés de la route et qui agitaient leur foulard, leurs bras, leur béret et même des branchages qu'ils avaient arrachés. L'un d'eux sautait sur place, et il le reconnut.

— Vas-y, Camus !

— Camus tout seul !

— Camus sur le Tour !

Il leur fit, de la main, le signe noble et amical, mais continua de pédaler comme si le peloton était à ses trousses : comme s'il apercevait déjà la banderole ARRI-VÉE et la foule. Il entendait derrière lui les cris des écoliers.

Puis, devenu invisible, il s'accorda une grande lancée de roue libre : laissa aller la machine silencieuse jusqu'à ce qu'elle s'arrêtât, loin des enfants, loin de l'arrivée.

« Voilà, se dit-il, je vais prendre sur ma gauche et rentrer à la maison. (Il venait de passer la ligne en vainqueur : il ne voulait pas la franchir en « lanterne rouge » !) Demain, j'écrirai au club qu'en chemin je... je me suis claqué un muscle en forçant dans une côte et que j'ai dû abandonner... Oui, mais si je leur donne cette excuse, je ne pourrai pas courir samedi !... Au contraire, reprit-il humblement, ce sera une excuse si je... si je ne suis pas dans le peloton. Et pourquoi n'y serais-je pas, cette fois ? »

Il lui semblait encore entendre dans son dos : « Allez, Camus !... Tout seul, Camus !... » Dites-donc, dans un titre à la une de l'*Équipe*, cela ne ferait pas plus mal qu'un autre nom, CAMUS ! Les gosses, eux, ne s'y étaient pas trompés...

En approchant de chez lui, il aperçut un type à vélomoteur dont la silhouette lui parut dérisoire. En le dépassant, il lui fit, de sa main gantée, un signe que l'autre prit pour un geste d'amitié.

LA BREBIS PERDUE

Le berger se leva d'un bond. Rien n'avait changé, ni la lumière (le soleil cessait de prendre ses distances), ni le bruit (les brebis affairées à paître, leur piétinement touffu avec, par instants, la plainte d'un agneau) — rien n'avait changé, et pourtant le berger se leva d'un bond. Son chien, qui s'était à demi assoupi lui aussi, ouvrit tout à fait ses yeux et le regarda étonné, déjà inquiet, déjà coupable. « Qu'est-ce qui se passe ? »

— Il s'est passé quelque chose, dit le berger.

Comme tous les solitaires il avait pris l'habitude de parler tout haut. De l'œil il compta ses brebis, une fois, deux fois !

— Il en manque une. Toi, reste ici !... Non, j'ai dit : reste !

Le chien venait, lui aussi, de les compter à sa manière : de ressentir un vide dans son monde d'odeurs, et déjà il s'affolait en grondant. Il aurait bien aimé que son maître lui fît des reproches, ceux qu'il s'adressait à lui-même : « Tu dormais à moitié, hein ? Dormir, toi ! » Mais l'homme les gardait pour lui seul.

D'un geste qui fit voler sa cape, il désigna le

troupeau : « Reste ! » — puis il partit à longues enjambées.

« Pourquoi dans cette direction ? » pensa le chien.

Le soleil avait déjà beaucoup rabattu de sa hauteur quand le berger s'aperçut qu'il s'était trompé. Non, sa brebis n'était pas partie dans cette direction-là. Rien ne le lui prouvait, bien sûr ; mais tout l'en assurait — et d'abord son brusque désespoir : « Et si je ne la retrouvais pas ? »

Pourquoi s'était-il, sans hésitation, dirigé vers la Varenne ? Parce que si lui-même avait pu se débarrasser du troupeau, une heure durant, c'est par là qu'il serait parti, loin des pentes monotones. Mais la petite bête laineuse et butée rêvait sans doute d'autre chose. Le berger en fut offusqué.

— Alors, commença-t-il tout haut — mais, loin du troupeau, cette voix lui parut dérisoire. « Alors, poursuivit-il en pensée seulement, comment puis-je savoir ce qui lui a passé par la tête ? »

Il lui fallait admettre — il n'y avait jamais songé — que ces bêtes si dociles et tellement aimées étaient libres. Libres... « C'est donc moi qu'elle a fui, se dit-il. *Alors, pourquoi reviendrait-elle ?* » Il fut tenté d'abandonner sa recherche : à quoi bon courir après quelqu'un qui ne vous aime plus ?

Il repartit pourtant ; vers l'étang Villars cette fois, et non sans angoisse. « Elles sont si bêtes, songeait-il avec tendresse, elle a aussi bien pu se noyer... » Il avait hâte et peur d'atteindre la rive. Mais l'étang présentait une face impassible, ou hypocrite. Rien ne semblait s'être passé ici depuis ce midi, depuis des mois, des années — rien.

Le berger prit vraiment peur. Ce n'était pas seulement l'étang qui lui mentait, se révélait son ennemi, mais la

nature entière, sa compagne, son épouse qui le trahis-
sait! Un immense désert, où lui seul se souciait d'une
brebis perdue, d'une vie en danger. Une indifférence
universelle...

— Je la retrouverai, dit-il soudain, presque malgré
lui ; puis il le répéta en criant : Je la retrouverai !

Et, parce que sa propre voix lui avait rendu confiance
en lui, il se mit à appeler dans toutes les directions le
nom de sa brebis perdue : Leïla ! Leïla !... Un nom
imaginaire, bien sûr, mais elle reconnaîtrait la voix.
Leïla ! Il était sûr, absolument sûr de la voir, dans un
instant, apparaître entre deux arbres à l'entrée de ce petit
bois, hésitante, avec son air veule et confus, masse de
tiédeur sur quatre pattes trop grêles, Leïla... Hésitant,
faisant mine de rebrousser chemin, puis venant à lui avec
un air si repentant qu'il ne la réprimanderait même pas.
Et si fatiguée qu'il la suspendrait par les pattes sur ses
épaules, la tête douce pendant le long de la sienne, de
sorte qu'il pourrait lui parler tout bas : « Pourquoi as-tu
fait cela, Leïla ? Pourquoi m'as-tu fait cela ? »

— Leïla ! Leïla !

Mais le silence qui lui répondait ne lui parut pas
habité. Il cria une dernière fois ce nom qui, tout à coup,
lui semblait absolument imaginaire. Il avait froid ; le
soleil était très bas sur l'horizon et se laissait regarder en
face. Le berger reprit le chemin du lieu où le troupeau
l'attendait. Une voix lui soufflait : « Une brebis perdue,
soit ! mais une seule parmi tant d'autres... Et puis, c'est
la première fois, berger ! » Une voix si insistante qu'il lui
fallut, pour la chasser, parler de nouveau tout haut :

— Non ! pas « une brebis », mais Leïla !

Il la revoyait distinctement. Comment les non-bergers
pouvaient-ils les confondre entre elles ? Se contenter de
les compter : « Dix, vingt, trente brebis » ? Mais non !
trente fois une certaine brebis...

Leïla ! Il songea qu'elle était seule, en ce moment, et qu'elle songeait à lui, sans doute, comme lui-même songeait à elle ; et que lui aussi était seul. Il pressa le pas.

Alors qu'il n'était plus séparé du troupeau que par les boqueteaux de Prémontré, le berger s'arrêta inquiet : il n'entendait rien. Aucun bêlement, aucun aboi, aucun piétinement. Il se mit à courir comme un enfant pris de peur. Vide ! le pacage était vide...

N'importe quel autre jour, il se fût trouvé pareillement vide, car elle était passée, l'heure à laquelle l'homme ramenait le troupeau à la ferme. Mais aujourd'hui ! Il s'affola. Il s'affolait pour lui, non pour les brebis : elles étaient toutes ensemble. Le drame était de se trouver seul, comme Leïla, *comme lui.* Seul, inutile, et dérisoire avec cette cape et ce bâton, cette panoplie de berger...

Il repartit, toujours courant, vers la ferme : pour rendre compte, chercher de l'aide ; surtout pour ne plus être seul.

Mais quand il ne fut plus qu'à un jet de pierre des bâtiments (les lampes étaient déjà allumées, et l'ampoule nue éclairait la cour, soleil froid perdu dans l'espace), quand il rentra dans le monde des autres, l'odeur le renseigna aussitôt : la bergerie était pleine. Oui, les vantaux grands ouverts, mais la bergerie pleine, il aurait pu le jurer ! Il s'avança, regarda dans les ténèbres : le troupeau s'était massé peureusement contre le mur du fond, au plus loin de la porte, de la nuit.

En l'apercevant, toutes les brebis se mirent à bêler ensemble. Elles avaient beaucoup de choses à lui raconter ; mais il ne les écoutait pas, bien trop occupé à les compter. Quelle espérance absurde avait-il donc conçue de les retrouver toutes ? — Mais non, Leïla manquait toujours, et cela suffisait à détruire sa joie d'avoir retrouvé toutes les autres.

C'est alors qu'il entendit, encore lointain, l'aboi de son chien. Bref et deux fois répété : l'animal interrogeait, du plus loin. Le berger ferma les vantaux sur son petit peuple au regard étroit et marcha à grands pas vers le chien invisible. La nuit était tout à fait tombée, mais une bande écarlate cernait encore les collines alentour. Il y vit se détacher la silhouette de son chien et, au même instant, celui-ci l'aperçut et commença de lui parler : « J'ai bien fait, n'est-ce pas, de commencer par mettre le troupeau à l'abri ? C'est ce que tu aurais dû faire, je crois, toi qui pourtant ne peux pas te tromper. Et puis je suis reparti dans la bonne direction, puisque tu avais choisi la mauvaise. J'ai eu raison, n'est-ce pas ? »

Il devait avoir eu raison puisque, à son côté, un peu en retrait, le dos rond, encensant de la tête, avec son air de dire : « Attendez-moi », il y avait Leïla.

LE DOCTEUR FAUSTIN

Le petit Paul-Albert Faustin était âgé de cinq ans lorsque les psychologues de l'époque forgèrent le terme de « surdoué ». Ce n'était pas à son sujet, ç'aurait pu l'être. A six ans, Paul-Albert aidait son frère aîné (Math. élém.) à résoudre ses équations et sa sœur Marcelline (Première A) à rédiger ses dissertations. « Mais, voyons, leur disait-il, c'est évident ! » Ou plutôt : « F'est évident », car il avait un défaut de langue ; cette grâce ou disgrâce enfantine avait longtemps empêché les cuistres de prendre au sérieux ses dons extraordinaires. Mais enfin, zozotant ou pas, il était un cas et ses maîtres durent se rendre à l'évidence. A sept ans il leur en remontrait, ce qui n'est guère tolérable. Las de se faire publiquement humilier à longueur de cours, ils faisaient passer l'enfant prodige dans la classe supérieure. Il arriva ainsi à Paul-Albert d'être muté, ou plutôt promu, au premier, puis au troisième trimestre d'une même année scolaire. Il se trouva donc en Philosophie (et tête de classe) à l'âge de neuf ans, ce qui est inusité. Son cas posa officiellement le problème des « surdoués » et c'est alors que commencèrent les malheurs de Paul-Albert. Il y avait longtemps que son père avait renoncé à discuter avec lui, qu'il lui demandait conseil en privé et se levait spontanément, à table, pour lui chercher du pain. Dieu merci, sa mère ne se retenait pas de le morigéner. « *Génial* ou pas, tu dois changer de caleçon tous les mercredis, mon petit bonhomme... » Elle avait derrière elle des siècles, des centaines de siècles de servitude souveraine. Ses aïeules au flanc large ne s'en étaient pas davantage laissé imposer par les chasseurs de dinosaures, ni par l'inventeur de la charrue, de la roue ou de la vapeur. Eux aussi devaient changer de linge régulièrement ; elles aussi devaient le laver. Cette bonne race aux mains rougies, aux poings sur les hanches, n'avait, de siècle en siècle, vu dans les « surdoués » que des enfants plutôt un peu plus menacés que les autres. C'étaient le même ventre qui les avait portés, les mêmes seins qui les avaient allaités, les mêmes mains qui les avaient purifiés de leurs excréments, alors les *intégrales,* les *différentielles* et tout ce bazar n'en imposaient guère à la maman de Paul-Albert. « Tu n'as pas trop mal à la tête, mon chéri ? » — Il n'y avait que cela qui comptait.

Malheureusement, Mme Faustin mère mourut prématurément et rien ne put désormais s'interposer entre Paul-Albert (onze ans) et ceux qui l'admiraient, le craignaient ou cherchaient à l'exploiter — plus personne entre cet orphelin et les hommes. Il se trouvait constamment pris entre les servitudes ou les désirs de son âge et les obligations de la renommée. On lui remettait des parchemins, il eût préféré des sucettes. Il n'avait, naturellement, aucun ami : les « jeux » qui l'amusaient les eussent épouvantés. Les petites filles le considéraient comme une grande personne et les jeunes filles comme un monstre. Personne ne l'embrassait. « Je ne souhaite pas devenir idiot, ni même *normal,* pensait Paul-Albert, mais seulement avoir l'âge de mon emploi du temps. Ah !

si j'avais soixante-dix ans, tout cela serait flatteur mais naturel ! »

Comme il avait lu *Faust* et dévoré tous les traités de sorcellerie (trois livres divers constituaient sa ration journalière), il ne fut pas surpris de se trouver, un soir, conversant avec le Diable. Entre surdoués le dialogue est aisé.

— Tu veux vieillir d'un coup ? proposa la Voix (car il n'y avait ni cornes, ni oreilles en pointe, ni cape rouge). Rien de plus facile pour moi, mais... tu en connais le prix !

« Le moment venu, je serai plus malin que lui », pensa Paul-Albert que ses succès avaient un peu gâté, et il accepta le marché.

Le voici devenu célèbre Pr Faustin, trois fois prix Nobel, docteur *honoris causa* de toutes les universités du monde, millionnaire aussi, grâce aux brevets. On le compare à Einstein, mais en ajoutant que l'homme aux cheveux en auréole « n'était peut-être pas aussi universellement doué que lui »...

On aurait mieux fait de rappeler qu'Einstein trouvait sa détente et sa joie à jouer du violon. Rien de tel pour Paul-Albert : quand aurait-il appris ? Quand aurait-il trouvé le temps de vivre ? Cette immense lacune oblitérait pour lui la gloire et la fortune. Il ne regrettait pas ce qu'on appelle l'âge adulte : les soucis et les plaisirs de ses assistants lui paraissaient aussi vains les uns que les autres, extrêmement monotones surtout. Quant à l'adolescence, les étudiants qu'il n'avait cessé de fréquenter l'en avaient plutôt dégoûté : il était heureux d'avoir pu éviter tant de présomption, de vanité, d'égocentrisme. Mais la privation d'une enfance véritable creusait en lui un vide aussi douloureux que celui qu'engendre la faim.

Un jour que Satan inspectait son cheptel, le Dr Faustin

s'en ouvrit à lui. L'autre pâlit : *Enfance* était l'un des termes qui le faisait grincer des dents.

— Tu ne sais vraiment pas ce que tu veux !

— Si, très bien. C'est vous qui ne menez pas bien vos affaires...

— Comment ?

— Que peut vous faire une âme de savant de plus ou de moins ? Votre enfer en est déjà rempli. Avec ou sans vous, l'orgueil est leur lot, tous relèvent de vous.

— Tu remets notre marché en cause ?

— Oui et non, je me dis seulement... (Il se tut.)

— Tu te dis ?...

— Que si vous existez, poursuivit lentement le Dr Faustin, c'est la preuve que... que l'Autre existe aussi.

— Tu es vraiment doué !

— Il faut croire que oui, puisque ceux qui trafiquent avec toi poussent rarement le raisonnement jusqu'à cette évidence.

— Tu te trompes, fit l'autre d'une voix sourde : simplement, ils le détestent, comme moi.

— Ils détestent l'idée qu'ils s'en font — comme vous !

— De quoi te mêles-tu ?

— Au fond, votre querelle est une histoire d'amour manquée, et vous ne vous en consolez pas.

— Tais-toi !

— Je constate que vous n'éprouvez aucun plaisir à discuter avec moi. C'est long l'éternité ! Allons, vous avez fait un mauvais marché. Je me demande si vous ne devriez pas y renoncer...

— Ne t'avise pas, toi, de le remettre en cause ! fit l'autre avant de disparaître.

Le Dr Faustin se rappela le temps où il accompagnait sa mère à l'église. (Tandis qu'elle priait, il calculait la charge de chaque colonne, les angles de poussée et réinventait la voûte gothique.) Quand il y retourna, en déjouant journalistes et photographes qui s'attachaient à ses pas, il n'eut pas un regard pour la voûte. Il s'assit au plus près de la petite veilleuse rouge qui, tel le clignotant d'un standard téléphonique, assurait la communication avec l'Autre. Cela, il ne l'avait lu dans aucun livre, rien ne le lui démontrait, mais sa mère le lui avait assuré sans réplique. Du moment qu'elle passait ici de longs moments, les mains enfin immobiles, le regard perdu, avec un singulier sourire sur les lèvres, c'était vrai.

Le Dr Faustin était surdoué en tout sauf en théologie ; cela allait faciliter l'approche et le dialogue. Il sentit très bien le moment où, dans ces ténèbres heureuses, il avait cessé d'être seul.

— J'ai fait une bêtise, avoua-t-il aussitôt.

Il faillit ajouter : « Maman », car c'étaient les termes mêmes qu'il employait avec elle dans sa toute petite enfance ; et il lui sembla, en retour, que la Voix qui lui répondait avait aussi la bonne gronderie de naguère.

— Je le sais bien, mais pourquoi viens-tu si tard, mon petit ? (Personne au monde n'aurait imaginé d'appeler « mon petit » le Pr Faustin.) A présent qu'est-ce que je peux faire pour toi ?

— Mais *tout,* dit vivement Paul-Albert sans l'ombre d'inquiétude. Il n'y a que vous qui puissiez me rendre mon enfance : c'est votre domaine, c'est votre joie... Oh ! s'il vous plaît, ajouta-t-il du même ton qu'autrefois. (« Le petit mot magique », disait sa mère.)

— Tu as déjà retrouvé beaucoup de mes secrets, reprit la voix. C'est pour cela que je t'avais un peu plus favorisé que les autres : j'ai tellement hâte que vous parliez le même langage que moi... Mais tu viens de découvrir le seul important, le secret des secrets : c'est que je ne sais pas dire non. C'est vous autres qui ne savez dire ni « s'il vous plaît » ni « merci ». Quel malentendu quel dommage !

— Quel gâchis ! dit le Dr Faustin d'une toute petite voix.

Il s'aperçut qu'il pleurait ; au lieu de s'en réjouir, il en eut honte : les hommes lui avaient appris cela.

— Tu pleures, dit doucement la voix, c'est la source, c'est le baptême. Allons, l'autre ne peut plus rien contre toi. Et moi je vais te rendre l'Enfance, la vraie.

Elle se tut. Paul-Albert comprit, aussi soudainement que tout à l'heure (mais n'y avait-il pas des heures de cela ?) à la fois qu'il était seul et qu'il ne le serait plus jamais. Il sortit de l'église. Il lui semblait que sa mère le tenait par la main. Il ne vit même pas les photographes qui l'avaient suivi à la trace et s'étaient embusqués sous le porche — mais il vit, comme pour la première fois, les arbres, les nuages, un chien qui passait, le visage d'une jeune femme. Il en fut ébloui. Il ne se posait aucune question à leur sujet ; il ne cherchait plus « le problème qui se cache derrière le problème » (selon sa célèbre formule) : il ne vivait plus *au 3ᵉ degré* — il vivait.

Dans les jours qui suivirent, le Dr Faustin décommanda les manifestations qui, à travers le monde entier, devaient célébrer son « Jubilé scientifique ». Sa *jubilation* était d'un autre ordre et, malheureusement, incommunicable et apparemment incompréhensible. Il démissionna des seize Académies auxquelles il appartenait et renonça à ses neuf chaires. Avec une lettre très polie, il renvoya au roi de Suède vingt et un millions de couronnes, montant des prix Nobel, et aux différents États les quarante-neuf décorations qu'ils lui avaient attribuées. Il transféra à la Croix-Rouge le revenu de ses brevets ; il n'en avait gardé que de quoi vivre petitement à la campagne. Du matin au soir, il se promenait en souriant. Ses yeux avaient grandi. Journalistes et photographes cessèrent assez vite de s'occuper de lui, non sans avoir laissé entendre que le Dr Faustin était retombé en enfance.

LA SORTIE

Vers le milieu de l'après-midi, le lit 27 observa une expression de triomphe sur la face décharnée du 28. Il le dévisageait presque sans cesse parce que l'autre allait mourir. Cela l'intéressait. « Et puis, se disait-il naïvement, tant que c'est lui, ce n'est pas moi... »

Une expression de triomphe — et il y avait de quoi ! Le 28 venait de réussir à décoller sa lèvre inférieure de l'autre. Au même instant, sans doute, des hommes d'affaires signaient des chèques prodigieux dont le montant tenait à peine sur les lignes prévues, un champion battait un record olympique ; peut-être même un général prenait-il le pouvoir quelque part. Mais leur victoire était négligeable au regard de celle du 28. Sa lèvre qui, depuis ce matin, demeurait collée à l'autre s'en détachait enfin, et le 28 semblait boire la vie de nouveau. Il ne savait pas qu'il était perdu ; la soudaine sollicitude des infirmières et les explications joviales du médecin ne l'avaient pas alerté. La salle entière le savait donc, sauf lui. La salle entière recevait de lui cette rémission ; et lui — quoique la souffrance qui le minait, rongeait, taraudait, consumait, quoique la souffrance ne lui laissât aucun répit — lui se sentait soudain avancer *en roue*

97

libre. Cette expression de triomphe sur sa face fit peur au 27 : « Et s'il allait ne pas mourir ? »

Ce bâtiment de l'hôpital empiétait sur une école communale. Les baies jamais ouvertes de cette serre fétide donnaient sur la cour de récréation. La marée enfantine butait à heures fixes contre le haut mur blanc qui recevait les balles et des inscriptions à la craie encore naïves. L'enfant qui « y était » appliquait contre ce mur son front où battait l'impatience et il comptait de plus en plus vite jusqu'à 20.

A la fin de la récréation, un coup de sifflet les figeait en silence ; un second les formait en rangs et la vie se retirait de cette cour. « Enfin ! » pensaient certains malades ; mais quelques autres tendaient douloureusement l'oreille, retrouvaient leur désert, rentraient en classe d'agonie. Le 28 en était ; chaque fois, il lui semblait qu'une amarre de plus se brisait. Le pauvre navire tendait aveuglément vers le large. D'ici peu, qui le retiendrait ?

A 11 heures, à 4 heures de l'après-midi, une autre rumeur s'élevait, de la rue cette fois : le bavardage des mères qui attendaient les petits écoliers avec, chaque jour, les mêmes soucis, les mêmes médisances, les mêmes : « Si vous saviez, ma pauvre ! » Le 28 abaissait ses paupières et descendait profondément en lui.

4 heures, on ouvre les vannes, le flot des enfants se répand dans la rue. Chaque mère happe le sien et gronde aussitôt : « As-tu bien travaillé, au moins ?... Tu as déchiré ton tablier... Où est ton foulard ? C'est le troisième que tu perds depuis la rentrée... » D'un regard envieux, l'inculpé suit les enfants libres, ceux que personne ne vient chercher. Dans les classes, parmi les foulards oubliés, les maîtresses tiennent leurs concilia-bules désabusés. Ce silence les surprend toujours ; elles-

mêmes parlent à voix basse et marchent sur la pointe des pieds.

C'est à ce moment que le 28 voit s'ouvrir la porte de la salle blanche et s'avancer sa mère, en grand deuil ; il ne l'a jamais connue autrement. Et, comme toujours, sa première réaction est de se sentir en faute. Gravement en faute, en effet, de mourir là, nu, abandonné... Elle s'avance jusqu'au pied du lit et demeure immobile, un arbre dans un champ de neige. Elle examine longuement la pancarte où s'inscrit la courbe de température du 28 : au début, des pics et des cols alternés ; mais, à présent, matin et soir, on côtoie les neiges éternelles. Examine la pancarte, hoche la tête.

— Maman !

(Le 27 tend l'oreille.)

— Viens vite, murmure-t-elle de cette voix impérieuse qui, tout ensemble, le faisait trembler et le rassurait — qui le fait trembler et le rassure. « Maman est là, je n'ai plus à m'occuper de rien. » Il demande :

— C'est l'heure ?

Elle hausse les épaules sans répondre. Si ce n'était pas l'heure, elle ne serait pas ici, mon garçon ! Les autres mères, dans la rue, viennent-elles jamais entre les heures ?

— Il faut signer la pancarte, dit-il soudain. (On peut toujours sortir d'un hôpital, à condition de tenir debout et de signer sa pancarte. C'est le décret d'abdication des pauvres.) Signer la pancarte, maman, signer la pancarte !

Cette fois encore, elle hausse les épaules. Elle est plus forte que la surveillante, que le médecin, que l'Assistance publique tout entière.

« Elle n'a pas changé, pense le 28. Comment avais-je pu l'oublier, oublier sa voix ? Mais pourquoi ne revient-elle qu'aujourd'hui ? Si elle était revenue plus tôt... »

Il revoit distinctement sa vie ; sa longue vie gâchée, il la revoit en quelques instants : l'enterrement, l'orphelinat et tout le reste. Quoi, rien d'autre ? rien d'autre ?
— Allons, viens !

Celui qui, depuis des mois, ne parvenait plus à remuer que sa tête pour dire non, non à tout, le 27 le vit se dresser, sortir de son lit, un paquet d'os empêtrés dans leur suaire, faire quelques pas sur ce carrelage, puis s'y effondrer, aussi nu, aussi blanc, aussi froid, en bredouillant quelque chose qui ressemblait à « oui, maman ».

LE RETRAITÉ

Comme il boutonnait son gilet, il s'interrompit et fronça les sourcils. « J'ai encore grossi… » Il n'allait tout de même pas tomber dans le piège de l'embonpoint, lui ! Lui qui ne s'était jamais intéressé à ce qu'on lui servait : « Vous mangez comme un chien, lui disait Marie-Louise, vous ne regardez même pas ce qu'il y a dans votre assiette… » Quelquefois, lorsqu'ils étaient seuls, il se levait de table au milieu du repas : « J'ai du travail… » Il avait maîtrisé son appétit comme son sommeil — jamais une minute perdue ! « Le monde appartient à ceux qui se lèvent tôt. »

Maintenant, il avait le temps ; c'était même tout ce qu'il possédait : du temps — et rien à en faire. Chaque jour semblable à la veille. Ou alors des projets dérisoires ; s'en aller déjeuner sur l'herbe devenait toute une équipée ! Il aurait bien aimé cultiver un bout de jardin, mais il paraît que ç'eût été déchoir. Et demeurer des heures dans un fauteuil d'osier à regarder l'horizon changer de couleur, n'était-ce pas « déchoir » ? Ou faire des réussites ? Ou jouer aux échecs avec les autres qui faisaient exprès de perdre pour lui faire plaisir ? Comme s'il ne s'en rendait pas compte le premier ! Mais ils

101

croyaient sans doute qu'il possédait toujours le même caractère entier, irascible. Et peut-être, en effet, l'avait-il conservé : il ne suffit pas d'être humilié pour devenir humble, au contraire ! Peut-être même ses défauts s'étaient-ils accentués avec l'inactivité, et son entourage le trouvait-il odieux. Hé ! qu'ils le disent, alors ! — Mais non, il ne tirerait jamais rien d'eux. Ils s'étaient installés dans leur médiocre retraite et ce climat lénifiant faisait leur affaire : une sieste perpétuelle. Un orage, une visite, un anniversaire : ces « événements » leur suffisaient pour une journée. Et même pour deux ! Car on en reparlerait sans fin le lendemain. Et ils s'étonnaient que parfois il quittât leur conversation en claquant la porte derrière lui ! « Je sais, je sais, se dit-il, ce sont des amis fidèles ; ils l'ont bien prouvé. Mais la fidélité est une vertu de chien ! » Ce qui le rendait injuste, c'était précisément la certitude que, de lui, ils accepteraient tout. Ses anciens compagnons n'étaient pas de cette race-là ! Il sourit en pensant à eux ; il avait déjà oublié les scènes qu'il faisait, mi-colère et mi-comédie, quand l'un d'eux se plaçait en travers de sa volonté. Morts presque tous, à présent ! « Perdre ses témoins, pour un homme comme moi, c'est pire que pour quiconque », se dit-il encore. Mais, pour un homme comme lui, tout était pire que pour quiconque — voilà ce qu'il pensait.

Il acheva de boutonner son gilet. *Son* gilet : il n'en possédait plus qu'un, ou à peu près. Il se mit à rire sans gaieté : il venait de songer à tous les habits qu'il avait revêtus durant son existence. Et maintenant, chaque jour le même, celui de tout le monde. Et ce grand chapeau de toile qui le protégeait du soleil et se fanait déjà... Un chapeau de pêcheur à la ligne, lui ! Mais il l'avait voulu ainsi. Du moment que tout était changé...

Bon, voilà, il était prêt. Prêt à quoi ? A faire sa promenade quotidienne : ce corps qui grossissait et le faisait souffrir, il fallait bien lui donner un peu d'exercice, comme à un chien. (C'est pour cela qu'il ne voulait pas de chien dans sa retraite : il lui eût trop ressemblé...) Au début, il variait les promenades ; mais à présent, s'il voulait éviter les observateurs ou les rencontres importunes, il lui fallait suivre toujours les mêmes chemins. Peu important, d'ailleurs : il n'observait rien. On ne peut à la fois penser et voir, se rappeler et voir — et rien ici ne l'intéressait autant que ses pensées et ses souvenirs. Pensées inutiles et souvenirs blessants, il est vrai, mais comment y échapper ? Il finissait par trouver un certain plaisir à inventorier ce qu'il appelait — pour lui seul, jamais un mot devant les autres ! — « le naufrage ». Un plaisir analogue à celui que l'on prend à gratter une plaie tout en sachant déjà qu'il en naîtra un surcroît de douleur.

Il se retrouva près des rochers ; ses pas l'y avaient conduit d'eux-mêmes. Il s'assit dans ce creux qui paraissait avoir été fait à sa mesure. « C'est à ce trône-là que j'étais destiné », pensait-il dans ses instants de bonne humeur. Le vent de l'Océan s'emparait sans égards de sa personne, de son costume trop ample et du chapeau qui clapotait à la manière d'une voile. Il voulut respirer à fond ; son gilet le contraignait, il le déboutonna. Il éprouva alors un moment de bonheur, sans âge, sans passé ; même la douleur familière — il se massait machinalement le foie — lui laissait un répit. La mer, superbement, brisait contre les rochers en contrebas et cela lui rappelait un paysage de son enfance. « Je suis le même, pensa-t-il, exactement le même que cet enfant ombrageux et sévère qui, déjà, ne s'aimait guère. On ne change pas. A quoi bon vivre ? » C'était pourtant une pensée très douce — jusqu'à ce qu'elle lui rappelât un autre enfant, son fils, et que son cœur se serrât. Il prononça son prénom dans le vent ; sa douleur au côté était revenue. « La mer, dit-il encore à mi-voix, si puissante, si active — si inutile ! » Il lui semblait que sa vie avait ressemblé à cet océan qui ne cessait de s'agiter avec tant de violence, qui ne montait que pour s'abaisser de nouveau, qui se brisait furieusement contre les mêmes écueils immobiles. — « Une belle écume, et quoi d'autre ? »

Le soleil devint sanglant et se laissa enfin regarder en face. Une fraîcheur montait du gouffre où les vagues se succédaient rageusement en vain ; et le gros homme frissonna. Il parut se réveiller, consulta l'heure à son gousset, se demanda ce qu'il allait manger pour le souper, puis s'en voulut de cette pensée vulgaire. Un chien...

Il essaya de reboutonner son gilet mais son corps avait pris ses aises et cette fois, il n'y parvenait plus du tout.

— Tant pis ! dit tout haut l'empereur Napoléon et, quittant les rochers de Sainte-Hélène, il reprit lourdement le chemin de la maison basse.

ÉCOUTE VOIR !

L'angélus le tira de son faux sommeil. « Quoi ! pensa *Tapautour,* déjà midi ? » C'était l'angélus du soir.

Grimault, de son vrai nom, mais le village, prompt aux sobriquets, n'appelait le tonnelier que « Tapautour » parce que, tout le jour, le vieil homme martelait le pourtour de ses tonneaux.

Ce matin, vers 11 heures, il s'était senti mal, plus mal encore que l'avant-veille. Jamais été malade de sa vie ! Il ne lui vint donc pas à l'esprit qu'après soixante-treize ans de vie en commun son corps puisse l'abandonner. « Je vais m'allonger un coup, et puis hardi petit ! »

Il regretta — cela ne lui arrivait pas trois fois l'an — d'être resté vieux garçon. « Bah ! elle serait sur mon dos : Couche-toi pour de vrai, je vais chauffer le lit, préparer une tisane, appeler le Dr Destouches ! » se raconta-t-il non sans nostalgie. Mais aussitôt : « Penses-tu ! si je m'étais marié comme les autres, il y a longtemps qu'elle serait veuve ! » C'était l'une de ses plaisanteries et sa consolation secrète.

— Les maris au cimetière, les veuves à l'église ! murmura-t-il.

Comme tant de vieux et de solitaires, il se parlait à mi-voix. Mais, ce matin, il avait du mal à former ses mots et même à formuler sa pensée. L'impression que toutes ses forces n'étaient pas de trop pour seulement vivre, survivre...

Les cloches le réconfortèrent. Il se sentait soudain si léger, si poreux que chacun des bruits familiers du village le retenait un peu, l'arrimait à la vie, comme des filins très ténus suffisent à immobiliser un navire, à la condition d'être assez nombreux. Tapautour leur prêta l'oreille tandis que les cloches espaçaient leur tintement, ne battant plus, aigu ou grave, que par inadvertance, comme on suffoque encore, malgré soi, après avoir longtemps pleuré.

Lorsque leur profonde vibration eut tout à fait cessé, il s'appliqua à écouter ces bruits qu'il entendait distraitement depuis plus d'un demi-siècle, et il les dénombra avec une sorte de gratitude. Il perçut la rumeur tranquille et triste de la fontaine publique. Par quatre becs, l'eau boudeuse tombait d'assez haut pour creuser autant de petits cratères très lisses à la surface de la nappe étale. Une brise dut traîner dans l'air calme du soir, car le vieil homme entendit distinctement les filets d'eau s'effranger et tomber en pluie. Puis il y eut le tintement d'un seau vide et le lointain commérage de deux vieilles, et le tonnelier les entendit.

Cette attention était à la fois pénible et rassurante. Tapautour qu'on appelait aussi « Bon pied, bon œil » (mais qui sentait bien que, pour l'instant, ses jambes ne l'auraient pas porté), s'avisa avec bonheur qu'il gardait une excellente oreille et que cela était en train de le sauver.

Une aigrette de cris aigus, un tumulte de galoches : « La sortie de l'école... » Il revit le petit Grimault Marcellin, cape noire verdie par les hivers et cache-col rouge, sortant de classe, l'haleine fumante, les poings serrés pour la bonne bagarre. Ces temps-ci, il pensait de plus en plus fréquemment au petit Marcellin qui, bizarrement, lui semblait être devenu son aîné.

Lorsque le piaillement des écoliers se fut égaillé, il se fit un silence attentif comme si quelque invisible rideau de théâtre frémissait avant de se lever, puis le chant d'un merle éclata. « Il est perché à la cime du grand sapin, place de la mairie, je le connais bien », se dit le vieil homme et il lui sembla, un instant, que l'oiseau ne chantait que pour lui, Tapautour. En vérité, il ne chantait que pour lui-même et laissait, entre chaque roulade, s'établir un silence, celui de la cantatrice qui baisse ses paupières avec une feinte modestie.

Et soudain, comme si le chant du merle eût ouvert une cage immense, le tonnelier entendit le cri perçant des martinets qui rayait le ciel au ras des branches basses comme chaque soir à cette heure. Pourtant, il ne s'en avisait qu'aujourd'hui. « Il pleuvra demain », se dit-il ; mais demain lui semblait un autre monde. Puis, lointaine, étouffée, la plainte monotone des ramiers. « Ils sont nichés dans le haut du bois, se rappela le tonnelier. Dire que je les chassais, dans mon jeune temps... » Ce soir, il quêtait leur alliance ; tout ce qui chantait, criait, bruissait de quelque manière était son seul recours. Même ce juron, du côté des vignes : la voix rocailleuse d'un laboureur remettant en marche son cheval, lequel, parvenu au bout d'un rang, s'accordait de souffler, de taquiner du bout de ses dents jaunes les herbes hautes. « Arriez ! Veux-tu bien... Nom de d'là ! » Essoufflé lui-même, l'homme reprenait sans conviction son monologue. « C'est Dubuffet, reconnut Tapautour (Dubuffet dit « Rince-bouteilles »). Quand finirai-je ses tonneaux ? La vendange approche... » — Oui, Tapautour, la vendange approche. « A présent, poursuivit-il, je devrais entendre aboyer le corniaud de la mère Guilloux : c'est l'heure où

107

elle ramène ses chèvres. » Au même instant, Gamin aboya. Le vieil homme se mit à sourire : il connaissait bien son village, et celui-ci était devenu l'eau qui le portait. Si tous les bruits familiers se retrouvaient ainsi au rendez-vous, il n'y aurait rien à craindre de cet étrange soir. Sinon...

Il tendit l'oreille avec une application presque doulou-reuse. Du côté du fleuve, les gars du patronage s'entraî-naient au football sur un stade improvisé. Quel jour était-ce donc ? — Eh oui ! vendredi, c'est bien ça. Leur galopade molle, leurs souffles mêlés, leurs appels... « De mon temps... » commença Tapautour, et il ferma les yeux. De son temps, il y avait déjà quelque futur conscrit qui s'exerçait, le soir venu, à jouer de la trompette sur les hauts, comme le fils Martelot, en ce moment même. « Mon gars tu vas chuter sur " lève-toi bien *vite* ! ". Tiens, qu'est-ce que je disais... » Parbleu, c'était sur cette note du réveil en fanfare que Martelot le fils achoppait chaque soir. Cela aussi rassura Tapautour.

« Écoute voir... » Le faux silence du village sembla descendre d'un degré : la scierie s'arrêtait. Puis ce fut le tour du forgeron qui, après chaque coup de masse sur le fer rouge, laissait deux fois l'outil rebondir sur l'en-clume. Les bing-bang-bang s'arrêtèrent donc. « Fei-gnant, pensa le tonnelier avec tendresse, chaque soir je travaille plus longtemps que toi... » Il imagina son compère dénouant le lourd tablier de cuir avec une lenteur religieuse, passant l'avant-bras sur son front (l'essuyant mais le noircissant un peu plus), rallumant son mégot en deuil depuis midi et montant d'un pas lourd jusqu'au *Café des Pêcheurs.* Tapautour crut même enten-dre la rumeur vantarde des buveurs : il ressentait un tel besoin que tous les bruits du village se retrouvent à l'appel de sa mémoire, qu'il inventait ainsi les plus ténus. Chaque fois que son oreille en distinguait un de plus, son angoisse s'apaisait ; mais ce rassurement ne durait guère. « Il m'en manque un, se disait-il, le plus familier pourtant, le plus essentiel — lequel donc ? »

Au café, cependant, ses compagnons trouvaient qu'il tardait bien, ce soir, à les rejoindre. Et son plus vieil ami, Beauroy (dit « Rond-de-bon-Dieu » car il communiait chaque matin) recensait malgré lui ces mêmes rumeurs vespérales. Par exemple, le carillon que mettait en mouvement, chaque fois qu'elle s'ouvrait, la porte de la boulangerie, et qui ne se faisait plus entendre que par intervalles. (De sa couche, Tapautour l'entendait aussi.) Le carillon cessa tout à fait et, peu après, les deux seuls magasins « modernes » du village baissèrent leur rideau de fer. Le car de Belcontres fit hurler son avertisseur au tournant de l'église, freina, puis reprit de la vitesse en se raclant la gorge et déboucha sur la place Augustin-Meaulnes. 18 h 37, inutile de vérifier l'heure ! Quelques-uns des buveurs le firent cependant. A un coup d'aile l'un de l'autre, le tonnelier et son ami guettaient déjà le bruit suivant. 18 h 42 : du côté de la gare, un timbre grelottant annonça la micheline de Nevers ; puis elle passa en trombe quelques minutes plus tard et Tapautour compta les wagons... Six ! Il ne s'était pas trompé. Mais l'absence du bruit mystérieux ne l'en inquiéta que davantage. Au même instant :

« Qu'est-ce qui se passe ? se demandait Beauroy. Qu'est-ce qui manque, ce soir ?

— Tu ne bois pas, Rond-de-bon-Dieu, quoi t'as ? demanda le patron. »

L'autre, sourcils et moustaches froncés, ne l'entendit même pas.

La cloche du dîner rameuta des quatre coins du parc les enfants du château. Juste en même temps — et c'était ainsi chaque soir — la cloche veuve de l'hospice appela ses vieux à leur repas de soupe, de purée, de compote.

Beauroy se leva brusquement. Il savait que, cette fois, le silence allait monter avec la nuit dans le village clos : avec la nuit fossoyeuse et son odeur de terre froide qui ravive la crainte des hommes et leur solitude. Beauroy venait enfin de découvrir quel bruit familier lui manquait ce soir : la masse en bois du tonnelier martelant les fûts que l'autre main faisait habilement tourner, le *tape-autour* de Marcellin.

Immobile sur sa couche, l'autre vieil homme vient au même instant de s'en aviser, lui aussi, et il coule au fond, les yeux grands ouverts.

Rond-de-bon-Dieu court vers la porte du café — « Quoi t'as donc ? quoi t'as donc ? » — Court à travers les rues aux volets fermés.

LE PRISONNIER

Le 6642 s'évada en plein jour et par la grande porte de la Maison centrale (autrement dit la prison), de Poissy dans les Yvelines.

Il sortit avec deux maçons portugais venus de l'extérieur, à qui leur ignorance absolue de la langue française allait servir d'alibi lors de l'enquête, ainsi qu'une mimique (les mains ouvertes, écartées, les sourcils arqués, la bouche pendante) qui faisait de chacun d'eux l'image même de la bonne foi. Comme ils étaient entrés à trois (le dernier ne sortit qu'une heure plus tard, ce qui était bien son droit, et comme le 6642 portait aussi un bleu de travail et ne s'était pas rasé depuis deux jours, l'homme du poste de garde le prit pour un Portugais et leur ouvrit la porte grise, non sans avoir minutieusement inspecté la rue par le judas grillagé.

Le 6642 évita de serrer la main des deux maçons afin de ne pas les compromettre davantage et, du pas nonchalant d'un compagnon las de sa journée, il remonta la rue de l'Abbaye. Eût-il pressé ou allongé l'allure, les hommes des miradors nord-est et sud-ouest l'eussent sans doute signalé au poste de garde.

Il prit, à sa gauche, par un vaste passage aménagé sous

un immeuble moderne, et soudain il s'arrêta, ébloui. Derrière un premier plan de rosiers et sous un ciel d'un azur presque insoutenable, il voyait la basilique de Poissy. Le 6642 ne savait même pas qu'elle existait et, depuis deux ans, ses yeux n'avaient vu, et toujours de très près, que du béton. Il sentit les jambes lui manquer et les yeux, soudain, lui firent très mal : il pleurait, pleurait de beauté.

Il agit alors au rebours de tout bon sens et de tout instinct de conservation et se comporta comme aucun évadé ne l'avait jamais fait. Au lieu de se précipiter vers la gare, ou les autocars, ou encore — je ne sais pas moi ! — vers le feu rouge qui lui aurait permis de s'embarquer clandestinement dans quelque camion, il marcha lentement jusqu'à l'entrée de la basilique. Parvenu par un étroit passage jusqu'au seuil de la nef, il dut s'arrêter afin de respirer, « pour la première fois depuis deux ans », lui semblait-il.

Presque tous les visiteurs d'églises anciennes trouvent que rien n'évoque mieux qu'elles des bâtiments carcéraux. Il est vrai que bien peu d'entre eux ont jamais mis le pied dans une prison. Ce ne fut pas du tout le sentiment du 6642 qui s'assit dans la chapelle obscure où fut baptisé le roi Saint Louis et qui demeure là, souriant de bonheur.

Cependant, la gendarmerie de Poissy, enfin alertée, se portait à la gare (« En courant, il aura eu le temps d'attraper le 18 h 08 pour Paris ! »), arrêtait les autocars, visitait les camions et fouillait toutes les voitures privées dans les Yvelines et bien au-delà !

Quand le 6642 sortit de son enchantement, le soleil était très bas mais moins désireux que jamais de se coucher. Le 6642 souriait toujours. Il gagna enfin la gare mais sans se hâter et, par le passage souterrain, émergea sur le quai opposé à la direction de Paris où les gendarmes patrouillaient encore. Ce qui, par surcroît, le sauva d'eux, c'est qu'il s'assit, un journal à la main, sur le banc de bois et qu'il demanda bonnement des conseils à son voisin afin d'en mener à bien les mots croisés. Cela n'est pas le comportement d'un évadé !

Il prit enfin un train omnibus et descendit à Orgerus parce qu'aucun nom figurant sur la ligne ne lui semblait plus étranger au département. En marchant sur une étroite route de campagne, en s'endormant dans une forêt au bruissement rassurant des petits animaux peureux (et tandis que la police avertissait les postes-frontières et les aéroports et quadrillait tous les mauvais lieux de Paris), le 6642 souriait toujours. C'était à cause de la basilique, bien sûr ; c'était aussi parce qu'il était innocent.

Le reste ne vaut guère la peine d'être conté. Quoique, d'une certaine manière... — Enfin, vous jugerez vous-même.

L'avocat du 6642, M⁰ N., l'avait toujours cru innocent. Il fit rouvrir l'instruction, qui avait été bâclée, et obtint assez rapidement un non-lieu assorti de dommages-intérêts.

— Vous croyez que je dois accepter ? demanda le 6642 (qui était redevenu Nicolas B.).

Il pensait, que sans cette erreur judiciaire, il n'aurait jamais connu la basilique de Poissy et que les deux heures, ou plutôt l'éternité de joie, qu'il y avait connue, valait bien ces deux années grises.

— Acceptez, bien sûr ! fit M⁰ N. et je me charge bien de répandre la nouvelle de votre réhabilitation. Vous savez que, cette fois, la Réforme pénitentiaire est votée pour de bon. La plupart des Maisons centrales vont disparaître...

— Quoi ! Poissy ?

113

— Et quarante autres prisons sont promises aux démolisseurs ! Tandis qu'on édifie, un peu hâtivement comme toujours, les fameux ateliers de travail communautaire. Alors, vous comprenez, ce n'est pas le moment de faire des cadeaux à la Chancellerie !

— Évidemment, concéda Nicolas B. aux yeux de qui la chose ne paraissait pas évidente.

Il ne jugea pas utile de confier à son avocat qu'il allait se rendre à Poissy afin de présenter ses excuses à l'homme du poste de garde qu'il avait floué. Il apprit là-bas que l'autre avait été rétrogradé et muté. Il prit un peu sur lui pour pousser jusqu'au bureau du surveillant-chef ; celui-ci, en revanche, dut prendre beaucoup sur lui pour ne pas le considérer toujours comme le 6642. Il pensait, comme la plupart des gens, qu'il n'y a pas de fumée sans feu...

— J'ai appris, commença Nicolas B. sans malice, qu'une Réforme pénitentiaire allait prochainement...

— Oui, oui, coupa l'autre en regardant ailleurs. Que voulez-vous, s'ils y croient... (Et il haussa ses épaulettes dorées.)

— Mais vous autres, dans tout cela, qu'est-ce que vous allez devenir ? Vous n'êtes ni moniteurs, ni éducateurs, ni...

— Vous pensez bien, répondit le petit homme sur le ton du défi, que la question a été préalablement réglée. Sans quoi !... A partir de l'échelon 550, mise à la retraite anticipée à barème plein. Reclassement des échelons 410 à 550 dans les bureaux — il en faudra toujours n'est-ce pas ? Et jusqu'à l'échelon 410, recyclage à salaire égal, tou-tes pri-mes com-prises, martela-t-il en tapant de son petit poing sur la table, d'un geste que les détenus connaissaient bien.

— Un recyclage en vue de leurs nouvelles fonctions ?

— Il paraît ! répondit le surveillant-chef avec un

mépris qu'il essayait de masquer d'indifférence. Moi, je serai à la retraite, je ne verrai pas *ça.*

— En somme, pour vous autres, rien n'est changé ? Je veux dire...

Il avait parlé avec une sorte d'angoisse ; le ton du surveillant-chef fit écho au sien.

— Sur le papier, non ; mais j'ai bien peur que, sur le terrain... Enfin, espérons que ces messieurs savent ce qu'ils font ! Allez, ajouta-t-il en se levant (mais il paraissait moins grand debout qu'assis), j'ai été content de vous revoir.

Ce n'était pas vrai. Nicolas B. le sentit et partit très vite. Entre lui et le petit homme galonné, on ferma deux grilles et une porte blindée.

Comme il traversait la cour, il remarqua que le petit garçon du sous-directeur jouait avec son camion à pédales ; mais celui-ci était tout cabossé à présent, et le petit tenait à peine dedans.

— Tu as drôlement grandi, lui dit Nicolas en passant, et il lui caressa la joue.

— Toi, je te reconnais, fit l'enfant, mais tu étais trois la dernière fois.

— Il y a longtemps ! (Il lut sur le visage rond que ce mot ne signifiait rien pour le petit garçon.) — Et pourtant, tu m'as reconnu ?

— Oui, cria le camionneur en pédalant beaucoup plus fort qu'il n'allait vite : *Tu m'avais déjà caressé la joue en passant...*

En vérité, c'était ce geste qui avait désarmé la méfiance de l'homme du poste de garde, mais Nicolas B. ne le saurait jamais.

UN PAYS DÉSERT

Depuis que j'avais franchi la frontière de ce pays, tout m'y semblait tissé de la même étoffe. Ouate, chaleur, confort : un pays de moquette et de velours, où les rideaux épais et les doubles fenêtres vous séparaient d'une rue pourtant aussi calme et quiète que chacun des logements cossus qui la bordaient. Un pays où une neige invisible eût molletonné toute chose, mais une neige tiède. L'esprit aussi se trouvait, malgré soi, doublé, ouaté : un engourdissement heureux, comme en procurent à leur début certaines maladies.

Moi qui sortais d'un pays vivant — c'est-à-dire où la mort est au bout de chaque avenue — je succombai à ce charme avec un soulagement dont je ne devais ressentir de la honte que plus tard. En fait, je retombais dans l'enfance, pays où tout est chaleureux, protégé, confortable, royaume sans hôpitaux, hospices ni cimetières et où il n'existe de prisons que pour que Robin des bois en fasse évader l'innocent ! Chaque fois que l'homme fait retrouve sous ses pieds un épais tapis qu'éclaire un feu de bois avec, dans un coin obscur, le tic-tac d'une grand-mère horloge, « l'enfant heureux et triste » se réveille en lui. J'en étais là.

Mes affaires faites, je me promenais dans cette petite capitale en attendant l'heure du train. La journée venait de tourner lorsqu'un singulier malaise s'empara de moi. Je ne pouvais m'empêcher de dévisager chaque passant. *Dévisager* n'est pas le mot, car mon regard allait d'abord à ses chaussures et à son vêtement plutôt qu'à sa figure. Je ne voyais que semelles épaisses, bottines confortables, non pas neuves mais soigneusement entretenues — ce qui impliquait à la fois qu'elles étaient de bonne qualité et dureraient encore longtemps. Ainsi, passé, présent et avenir semblaient assurés à tous ces passants. Bien sûr, ce n'est qu'un symbole, mais les chaussures renseignent presque infailliblement sur celui qui les porte. Le vêtement était fourré, doublé, tellement assorti à la saison qu'il faisait pressentir, dans chaque logis, des penderies dignes de Barbe-Bleue. Personne ici ne semblait pouvoir être pris de court. Par où se serait glissé ce qui fait le médiocre malheur des humains : le froid, la fièvre, la pourriture ? Et comment craindre la faim devant ces étalages croulants de victuailles ? Peuple aux gros bras, aux joues fermes, aux nuits sans rêves, capitale de la bonne conscience — mais cela ne me rassurait plus et soudain me faisait horreur plutôt qu'envie.

Chaque passant, je me mis à dévisager à nouveau chaque passant avec une telle dureté, sans doute, que plusieurs se retournèrent sur moi et que l'un d'eux me suivit longtemps des yeux avec une expression où la crainte le disputait à la rancune. Pourquoi me sentais-je devenu leur ennemi ? Que leur reprochais-je après tout ? Mais surtout que cherchais-je anxieusement d'un visage à l'autre ? — *Un pauvre.*

Oui, je venais de comprendre que c'était un pays sans pauvres et j'y respirais mal.

Je faillis rire de moi, ou plutôt ricaner. Ainsi, pour

117

mon confort moral et la bonne hygiène de mon cœur, il me fallait ma ration de misérables ! Ne me sentais-je en état de plénitude, de sécurité, que si des êtres assez démunis me fournissaient un terme de comparaison avantageux ? Ou encore en paix avec moi-même que s'ils me donnaient l'occasion de « faire la charité » ?

Non, je ne méritais pas ce mépris ; car ces étrangers, je les plaignais sincèrement. « Il y aura toujours des pauvres parmi vous... » L'étrange parole n'exprimait pas une malédiction mais un mystère impossible à éluder. Fallait-il donc des pauvres parmi nous pour que nous demeurions pleinement humains, comme certains ferments sont nécessaires à la vie ? Ils ressemblent à de la pourriture, et peut-être deviendraient-ils un poison s'ils proliféraient à l'excès ; mais s'ils venaient à manquer nous ne pourrions plus ni respirer ni nous nourrir.

Je vois bien ce que cette explication a d'odieux, mais comment justifier autrement l'impression que je ressentais de me trouver en pays inhumain et cette angoisse avec laquelle je me mis à parcourir les rues, la main tendue, le regard suppliant ?

Jusqu'au moment où l'un de ces passants replets s'en vint à moi, retira ses gants fourrés, écarta son cache-nez pour me dire, d'un ton plein de gratitude :

— Je vous en prie, mon ami, acceptez cette petite pièce...

PARIS-LA-NUIT

Le chauffeur du car se nommait Guido (il était italien) : « Cela veut dire *guide ?* avait demandé Sylvie en riant. Alors, je devrais être jalouse... » Elle-même était étudiante mais, pour survivre, guidait chaque soir un autocar rempli de touristes japonais à travers Paris-la-nuit : ses monuments illuminés, Montparnasse, la butte Montmartre, la place Pigalle, vous savez... Guido ressemblait trait pour trait au prince imaginaire qui avait peuplé le journal intime de Sylvie vers sa quinzième année. Lui n'en savait rien ; lui ne se doutait pas que, lorsqu'elle s'asseyait à son côté dans le siège profond qui tournait le dos au Japon, au monde entier, le car devenait un carrosse à deux voyageurs qui, tôt ou tard, allait sortir de cette fausse ville, de cette cohue anonyme, de ces lumières impures. Un carrosse qui, tôt ou tard... — Mais non, il s'arrêtait, au contraire, il prenait place dans ce décor infâme et si aveuglant que les Japonais pouvaient prendre leurs photos sans *flash.* « Méfie-toi de tous ceux qui, le soir, changent de visage », disait la mère de Sylvie à sa petite fille attentive. Eh bien, n'était-ce pas justement le cas de Montparnasse, de la butte Montmartre, de la place Pigalle ? Mais le car s'y arrêtait : il fallait se lever, faire face au Japon et débiter en anglais un texte épique et périmé qui mêlait les gamins de Poulbot à ces peintres misérables (dont les toiles, à présent, valaient des milliards — « Combien cela fait-il de yens ? ») et aux petites femmes de Pigalle. Puis il fallait guider le troupeau aux yeux bridés vers une taverne, un cabaret enfumé, un spectacle de femmes nues assez laides mais qui montraient des seins beaucoup plus gros que ceux de leurs épouses.

On remontait dans l'autocar qui, pour une nouvelle étape, allait redevenir carrosse. Quelquefois, on y retrouvait Guido endormi de fatigue sur son large volant (car lui aussi poursuivait ses études dans la journée), et Sylvie le contemplait un long moment en souriant avant de l'éveiller. Cependant, les petits hommes jaunes, ayant réintégré leur château fort, traçaient des croix sur leur prospectus, souvent en se trompant d'étape. Ou encore ils prenaient sur un carnet de moleskine noire des notes qui ressemblaient à un peuple d'insectes. Guido se réveillait, souriait à Sylvie (Oh ! ses dents...) et lui disait en italien : « Pardonnez-moi... » En italien parce que, chaque fois qu'il sortait du néant du sommeil, c'était la langue de sa mère qui lui revenait aux lèvres ; et aussi pour que ces gentils nains jaunes de passage ne pénètrent pas dans leur dialogue. Pourtant, il voulait encore ignorer que Sylvie l'aimait et que lui-même... — Jusqu'au soir du 7 juin.

Le matin du 7 juin, la porte de sa chambre s'ouvrit en tempête et — vite ! vite ! — la vieille dame qui le logeait le sortit sans ménagement de son sommeil, ou plutôt de son rêve puisqu'il souriait.

— Vite, vite, le téléphone, pour vous !

Elle tendait l'appareil à bout de fil ; Guido s'en saisit machinalement :

120

— *Prompto ?*

Un pied dans l'océan de la nuit, il ne pouvait encore parler ni comprendre que l'italien.

— Silvia ?

C'était elle, et fort pressée — « Mais je voulais te prévenir que, ce soir, exceptionnellement... »

— Silvia !

Elle avait déjà raccroché ; Guido demeura longtemps, le visage ravi, à l'écoute de la tonalité. Silvia... — Puis il se dit que, s'il se rendormait à présent, avec un peu de chance il rêverait d'elle.

Parce que, pour la première fois, il avait entendu sa voix de très loin et sans voir son visage, il lui sembla que Sylvie lui était devenue infiniment précieuse mais aussi qu'il était en danger de la perdre. Il vécut donc cette longue journée dans la tendresse et l'angoisse. Jamais il n'avait consulté sa montre aussi souvent ; aujourd'hui, le temps n'avançait pas. « Je l'aime », pensa-t-il soudain (en italien) ; c'était au coin du boulevard Saint-Michel et de la rue des Écoles, et il demeura sur place, incapable de faire un pas de plus, inconscient d'être bousculé de toutes parts par ces gens si pressés qui, eux, n'aimaient pas, n'aimaient plus, ou alors l'avaient oublié.

Quand arriva enfin l'heure japonaise, elle trouva Guido assis sur son siège depuis un grand quart d'heure, la tête constamment tournée vers la rue d'où arrivait Sylvie. D'où elle aurait dû arriver — mais ce soir, pas de guide ! Les passagers commençaient à s'impatienter — ce qui, chez les Japonais, s'exprime par un imperceptible froncement d'un seul sourcil.

— Allons, cria de loin le patron de l'agence, partez donc à l'heure, comme convenu !

Guido craignait tellement que Sylvie n'eût à souffrir si l'on remarquait son absence qu'il embraya aussitôt. Mais il dut s'arrêter dans une rue un peu sombre parce que son cœur, à grands coups, l'empêchait de conduire, de penser, de vivre. Quand ses battements se furent espacés : « J'en étais sûr... Mon Dieu qu'est-ce qui a pu lui arriver ? Il faut que je la retrouve... » Il abaissa cette large vitre à son côté ; le vent du 7 juin, qui portait jusqu'au cœur de la ville les fiançailles du printemps et de l'été, s'engouffra dans le car. Il y respirait son amour pour Sylvie, leur promenade de dimanche prochain, les paroles qu'il lui dirait... « Que je la retrouve à tout prix ! » Il repartit par des rues imprévues ; il avait tout à fait oublié sa cargaison.

Il ne s'arrêta, très loin de Montparnasse et de Montmartre, que devant le couvent de religieuses qui abritait le foyer d'étudiantes où logeait Sylvie.

— *Just a minute !* jeta-t-il aux Japonais dont il perçut de nouveau la silencieuse existence au moment de descendre — *just a minute !* Mais déjà, disciplinés et silencieux, ils le suivaient.

La sœur tourière ne fut qu'à demi étonnée de cette invasion souriante : elle en avait connu beaucoup d'autres durant ses trente années de mission. Et puis, la nuit, en juin, personne ne s'étonne de rien. Il n'était pas très tard ; les religieuses s'accordaient un dernier tour de promenade dans le jardin du cloître, délirant de fleurs et dont les oiseaux, enfants gâtés, refusaient de se coucher sans avoir chanté une dernière fois. Les Japonais, auxquels ces hauts murs gris n'avaient pas laissé soupçonner le paradis (et qui n'avaient jamais vu de cornettes de leur vie) prenaient des photos.

— Sylvie ? s'étonna la Supérieure, mais elle est partie à son travail comme chaque soir. Non, non, je ne sais rien de plus. Et emmenez au plus vite tous ces messieurs !

Guido rameuta son troupeau et, sans explication, repartit l'œil sombre. Il avait demandé à la sœur tourière où se trouvait l'hôpital le plus proche — ce qui était touchant mais stupide car enfin, si Sylvie avait eu un accident, pourquoi justement dans ce quartier-ci ?

C'était l'un de ces hôpitaux de style pavillonnaire qui, avec son dédale de jardins souffreteux, ressemblait assez à une petite ville japonaise. Les blouses grises qui auraient dû en garder l'entrée jouaient aux cartes en discutant de leur salaire et de ses chances d'augmenter : « Ils auraient dû nous reclasser à l'échelon 103 depuis Noël. D'ailleurs, la grille entière est à revoir... » En tout cas, celle de l'hôpital était grande ouverte et, malgré le *just a minute* de Guido, les Japonais dociles s'y engouffrèrent en silence et se répandirent dans les jardins. Leur regard se composait, comme d'habitude, d'un œil et d'un objectif. Cependant, Guido courait à la recherche d'une blouse blanche. Touchée par sa beauté autant que par son angoisse, une infirmière consulta le registre des entrées : « Sylvie, dites-vous. Mais Sylvie comment ? »
— Il ne le savait même pas. Elle lui fit la même remarque que la sœur tourière, mais, cette fois, il l'écouta.
— Alors, qu'est-ce que je peux faire ?
— Allez à la préfecture de Police : tous les accidents y sont centralisés.

Il la remercia à peine : il était furieux qu'elle eût prononcé le mot « accident » ; il pensait que cela mettait Sylvie en danger — les Italiens sont ainsi.

L'infirmière vit de haut le Joueur de flûte aux cheveux bouclés entraîner vers la rue son peuple d'enfants à chapeau dur. Elle soupira ; elle enviait cette Sylvie sans nom.

Le lieu le mieux gardé de Paris n'en laissa pas moins pénétrer dans sa vaste cour intérieure l'autocar de Paris-la-nuit. Cette fois, Guido essaya d'empêcher ses occupants d'envahir la préfecture de Police ; malheureusement, il ne savait pas comment se dit en anglais : « strictement interdit ». Dès qu'il eut disparu dans le triste bâtiment, ils descendirent donc et commencèrent à fraterniser avec les agents de police qu'apprivoisait l'été si proche. Justement, l'un d'entre eux avait un beau-frère qui habitait Tokyo, vous avouerez que le monde est petit... Attention ! Tokyo ou Kyoto ? Eh oui, c'étaient les mêmes lettres, mais il ne fallait pas confondre... Un autre avait planté dans son jardinet de la Garenne-Bezons des cerisiers du Japon et, chose curieuse, l'arbre connaissait une seconde floraison en octobre. Est-ce que, là-bas... ?

Ils en étaient à se montrer des photos de leurs enfants et à prendre en note des adresses illisibles « si vous venez là-bas, on ne sait jamais ! » quand Guido reparut. Pas le moindre accident qui correspondît au signalement de Sylvie — mais cela ne le rassurait pas, au contraire...

— *In the car, please, hurry up !*

Ses voyageurs eurent du mal à se séparer de leurs nouveaux amis ; les Japonais adorent l'uniforme.

Guido prit à vive allure les quais de la Seine, tournant le dos à Notre-Dame illuminée que les touristes, occupés à prendre des notes, ne regardèrent même pas. Il les conduisit en trombe jusqu'à la Morgue. C'était la dernière étape que son angoisse s'était fixée ; mais il ne s'y rendait que par une sorte d'exorcisme et, plus il approchait du quai de la Rapée, plus il repoussait l'image que celui-ci lui suggérait. C'était l'heure de la relève du personnel ; un certain désordre s'ensuivait, à la faveur duquel les Japonais s'infiltrèrent à la suite de leur

124

chauffeur dans l'Institut médico-légal. Un employé de trop bonne volonté ouvrit plusieurs tiroirs de l'immense glacière avant de s'inquiéter « si tous ces messieurs étaient aussi de la famille ». Ces messieurs étaient fascinés : ils n'auraient jamais imaginé que le tour prévu par l'Agence pût les conduire dans un lieu aussi mystérieux. Ils ne prirent pas de photo, mais le plus vieux d'entre eux fit, sur son prospectus, une croix suivie d'un point d'interrogation devant « les femmes nues ».

Aucune d'elles ne rappelait Sylvie : l'exorcisme avait joué. Guido remercia beaucoup, un peu trop même, mais c'était en italien. Puis il emmena son monde qui, à son tour, le remerciait avec effusion : jamais pareille tournée ne leur avait été offerte ! Mais il ne les écoutait pas : les yeux brillants de larmes toutes proches, il les engageait sur un chemin qui allait enfin rejoindre l'itinéraire traditionnel.

Cependant au lieu de s'arrêter sur l'ignoble carrefour Pigalle, il contraignit l'autocar à gravir, toujours plus escarpée et plus étroite la rue Lepic, déserte à cette heure. Il lui fallut montrer des prodiges de conduite pour tourner par les ruelles et parvenir enfin devant l'entrée latérale de la basilique du Sacré-Cœur. Il savait que c'était la seule église de Paris qui demeure ouverte toute la nuit, la seule où il allait pouvoir se jeter aux pieds de Dieu et prier-pleurer, à même le dallage, comme le petit enfant Guido au temps où il voulait se faire prêtre afin de devenir pape.

— *Come on, come with me, all of you !*
Cette fois, il ne leur assignait pas de rester sagement à leur place : il lui semblait beaucoup plus sage de les entraîner à sa suite, bouddhistes, shintoïstes, confucianis-

tes ou incroyants, tous devant le Dieu unique qui, seul, savait où se trouvait Sylvie, Sylvie, Sylvie *amore mio...*

— A genoux, tous !

Les Japonais raffolent des mystères et des rites. Ils n'en finissaient pas d'admirer ce temple immense, dont la notice ne prévoyait même pas la visite et qui, pourtant, leur paraissait autrement imposant que ce ridicule Moulin-Rouge qu'ils avaient aperçu tout à l'heure. A la suite de Guido, chacun d'eux alluma un cierge devant diverses statues de personnages incompréhensibles.

Lorsqu'ils sortirent sur l'esplanade, si vaste entre les deux saints à cheval qui gardent l'entrée de la basilique, quand ils virent Paris brasiller à leurs pieds, ce Paris dont ils connaissaient désormais les vrais secrets nocturnes (qu'ils allaient, là-bas, raconter sans fin), ils ne comprirent pas pourquoi leur chauffeur poussait un tel cri de joie sous le ciel immense et courait, et volait jusqu'à la jeune fille immobile qui, sur ce haut lieu désert, paraissait la statue même de Paris.

— Mon amour, répétait Guido en couvrant de baisers le visage, le cou, les mains de Sylvie retrouvée, j'ai eu si peur, si tu savais...

— Mais... Guido... (Il l'assiégeait si fougueusement qu'elle pouvait à peine parler — peu importait, d'ailleurs : il ne l'écoutait pas !) Je t'avais prévenu... ce matin... C'était ici que... Ah ! laisse-moi t'expliquer... Ici que tu devais me prendre, à cause de cette cérémonie à laquelle il fallait que j'assiste... Je t'ai tout raconté au téléphone, voyons !

— Sylvie, je t'aime. Sylvie, n'est-ce pas que tu m'aimes aussi ? Sylvie, dis-le-moi !

Ils se tournèrent vers Paris, vers l'été naissant, vers ce

ciel vaste et pur qui leur appartenait. Ils respiraient très fort.

Étagés sur les marches blanches, les Japonais prenaient des photos.

SAINTE BARBE

Comme chacun l'ignore, l'empereur Charlemagne était
pusillanime, cruel, paresseux et velléitaire. Du moins,
avant de devenir empereur et, plus précisément, avant
l'affaire de la barbe. Vous connaissez naturellement
l'affaire de la barbe ? Non ? — Vous n'êtes pas les
premiers à me faire cette réponse ; ni les premiers à qui
je raconterai l'affaire de la barbe...

Donc, un souverain tout à fait incapable, et qui
n'obtenait l'obéissance de son entourage que par la
terreur et au prix d'une paralysie à peu près complète du
royaume. Voilà qui change de la légende habituelle ! —
Mais attendez l'affaire de la barbe.

Un matin, le seul barbier en qui Charlemagne avait
confiance (car enfin ces gens-là tiennent votre vie au fil
de leur lame) fut pris des grandes fièvres. Il tremblait de
la tête aux pieds, en passant par les mains, donc par le
rasoir.

— Très bien, décida l'empereur à la barbe fleurie (qui
n'était pas encore empereur et dont le poil était roux), si
tu n'es pas guéri dans trois jours, ton propre instrument
servira à te trancher la gorge...

Mais cela ne lui rasait pas les joues où poussaient déjà

des poils disgracieux. Le souverain décida de tailler lui-même sa barbe. Encore faut-il du savoir-faire, pour les arbres comme pour les hommes ! Un peu trop taillé à gauche... On tente d'égaliser à droite (car la beauté des barbes, comme celle des églises, repose toute sur la symétrie)... On manque son affaire... On répare à gauche... Allons bon ! il faut travailler à droite... Et ainsi de suite jusqu'à ce que, de rage, (mais, pour un souverain, ne pouvoir s'en prendre qu'à soi est un supplice !) on se rase entièrement les joues, le menton et le double menton.

Charlemagne en était là et tout surpris de dévisager au miroir cet inconnu sans prestance aux joues pendantes, au menton veule, à l'air niais et sans défense.

La porte s'ouvrit ; le grand écuyer, son vassal le plus proche (et le seul qui eût droit de pénétrer dans les appartements royaux sans frapper) entra en coup de vent et demanda sans égards :

— Ho ! compagnon, tu n'as pas vu le roi ? On le cherche pour le Conseil... (Puis, dévisageant l'inconnu et éclatant de rire :) Je ne te connais pas, mais tu as une drôle de gueule... Allez, salut !

Charlemagne demeura consterné. Impossible de se présenter au Conseil : aucun de ses féaux ne le reconnaîtrait. — Et s'ils y parvenaient, ce serait pire ! Il fallait donc se cacher pour quelque temps, se dissimuler parmi la foule du palais ; mais qu'allait-il s'y passer en l'absence du roi ?

Les premiers jours furent vécus dans une sorte de terreur. « Le roi se cache pour nous surprendre... » — Voilà ce que chacun pensait et il redoublait d'application, c'est-à-dire de rigueur. Du grand écuyer au dernier palefrenier, ce n'était que crainte, servilité et abus de pouvoir — car il ne faut pas croire que ce dernier soit le propre des Grands : n'importe quel marmiton que persé-

cute l'aide-cuisinier trouve un gâte-sauce à martyriser !
Bien entendu les affaires du royaume n'avançaient pas :
personne ne voulait endosser la moindre responsabilité,
crainte d'encourir un châtiment quand reparaîtrait le
souverain. D'ailleurs, on le voyait partout ! Le palais
royal était devenu un château hanté. Dès qu'une barbe
tournait le couloir, on se figeait sur place en tremblant.
« Mais, se demandait Charlemagne (dont la silhouette
falote n'inquiétait personne), n'en était-il pas de même
lorsque je régnais ? Et mes façons ne les réduisaient-
elles pas tous à l'impuissance et à la flagornerie ?
D'ailleurs, si j'exerçais le pouvoir avec une telle rigueur,
n'était-ce pas parce que je les craignais autant qu'ils me
craignaient ? Que peut-il en sortir de bon ? »

La semaine suivante, le vent tourna. Je ne sais pas si
les souris dansent quand le chat n'est pas là ; mais,
quand le maître a disparu, les intrigants intriguent, les
querelleurs se querellent et les paresseux paressent. Le
palais, le royaume entier devinrent le champ de leurs
ambitions et de leurs abus. Charlemagne en ressentit une
douleur insupportable ; c'est qu'il aimait, pour la première fois : aimait son pays, ses petites gens, ce peuple
sans défense. Il lui était donné, pour la première fois,
d'observer en sujet les choses du royaume, les agisse-
ments des Grands, des financiers et des soldats. Il lui
prenait sans cesse l'envie de réapparaître (qui, sous ce
poil follet, eût reconnu le roi ?) et de sévir — mais à quoi
bon si c'était pour réinstaurer l'ancien système ?

Il marcha toute une nuit sans trouver le sommeil. Des
réformes s'ébauchaient dans sa tête. Il faudrait limiter
l'ambition des Grands, les droits des hommes d'armes et
ceux des chasseurs, prendre soi-même en main la
justice, développer l'instruction ; il faudrait, il faudrait... Et s'il parvenait à redresser le pays, ne convien-
drait-il pas de se tenir ensuite constamment informé de

ce qui s'y passait, d'y envoyer sans cesse des émissaires?... Et même (le jour commençait à se lever) ne serait-il pas de son devoir d'étendre ces bienfaits à l'Europe tout entière?

— Alors, un empire... l'Empire? murmura-t-il en s'arrêtant.

Il se trouvait devant un petit couvent. Il heurta du poing à la porte.

— Monseigneur? fit le frère portier en s'inclinant à tout hasard.

Charlemagne s'agenouilla.

— Mon petit frère, demandez de ma part au père Abbé une cellule et un miroir... Je ne resterai pas longtemps. Dites-lui toutefois que je ne me relèverai pas avant qu'il m'ait entendu en confession, absout et béni.

Charlemagne demeura dans cette cellule, priant et pensant jusqu'à ce que sa barbe ait repoussé comme avant. Pas tout à fait! Car, la douleur et le remords aidant, elle était devenue toute blanche. Quand son miroir l'eut assuré qu'il avait enfin une tête d'empereur, il envoya chercher un cheval noir et une escorte et retourna au palais où se réjouirent les fidèles et tremblèrent les infidèles, ce qui suffisait à les dénoncer.

La suite, on la connaît. Mais, sans cette affaire dite de « la sainte barbe », personne n'aurait eu l'occasion de retenir la seule date que connaissent les cancres eux-mêmes : la nuit de Noël de l'an 800. L'on n'aurait pas non plus fêté si longtemps, tous les 28 janvier, cette Saint-Charlemagne que les bons élèves célébraient autrefois avec du vrai mousseux, des gâteaux et des discours, lorsque c'étaient les professeurs qui portaient la barbe et non les lycéens.

LE SORTILÈGE

Lorsqu'il vint à notre rencontre, accompagné de sa chienne, nous eûmes davantage de regards pour la bête que pour l'homme. Fragile et forte, attentive et hautaine, animal de race (mais personne n'aurait su dire laquelle), elle accompagnait son maître tout en paraissant le précéder et leur allure était la même, tout naturellement. Mais je veux retirer le mot « maître » qui ne convient pas. Car il suffisait d'un coup d'œil pour déceler entre eux une alliance respectueuse, une étrange égalité.

Aucun d'entre nous n'eût songé à demander sa race et son âge, encore moins son nom. Pas une fois l'homme ne l'appela, ou ne la désigna autrement qu'en disant « elle ». *Elle* gardait ses distances envers nous, partageant ses regards (mais ils n'étaient pas les mêmes) entre cet homme taciturne et ces visiteurs qui se sentaient si importuns.

Il nous montra, fleur après fleur, son jardin qui me parut singulier. « J'ai mis très longtemps à le réaliser, expliqua-t-il de cette voix un peu trop grave qu'ont la plupart des solitaires. Il me fallait obtenir des fleurs à tout moment de l'année ! » — mais il ne nous en dit pas la raison. Nous crûmes la deviner en pénétrant dans la maison. La photographie d'une très jeune femme figurait, non pas au centre mais — comment dire ? — *au cœur* de la pièce où l'on vivait, et s'y trouvait honorée d'un bouquet, le seul. Il me vint la pensée que, tout au long de l'année, même en sa saison morte, l'habitant de ce lieu renouvelait cette présence qui semblait rejeter meubles, objets et gravures dans l'ombre et l'anonymat. Matière morte, ce décor nécessaire : seuls vivaient ici le portrait, les fleurs, l'homme et la bête. Comme j'achevais de former cette pensée, je rencontrai, en détournant les yeux de la photographie, ceux de notre hôte qui me suivait du regard avec, sur tout son visage, un sourire un peu provocant.

L'un de nous sortit de sa poche un petit cigare et fit le geste de l'allumer.

— Oh non ! fit l'autre vivement, pas ici, s'il vous plaît.

Et il lui offrit une cigarette en s'excusant. *Quelqu'un* ici ne supportait pas l'odeur du cigare.

Nous nous assîmes. La chienne vint se placer près du fauteuil de son compagnon, mais sans servilité ni routine, assise et non couchée : comme lui, comme nous. Il ne la regardait jamais ; mais je pressentais là une sorte de réserve et non de l'indifférence. Par instants, sa main se posait à l'aveugle sur la tête ou le cou de la bête dont elle prenait d'avance la forme, ne doutant pas de les rencontrer exactement là où elle les attendait. Peut-être l'exhortait-il à la patience : « Oui, oui, ils vont partir... » Ou peut-être reprenait-il ainsi un dialogue sans fin que notre arrivée avait interrompu. Sans nous concerter, nous nous levâmes très vite pour prendre congé.

L'année suivante, je rencontrai de nouveau ces amis et, malgré mon impatience, je pris garde que ma première question ne fût pas relative à cette étrange visite. Enfin, du ton le plus indifférent, je demandai :

— Et votre ami, que devient-il ? Celui que nous étions allés voir ensemble, l'homme à la chienne ?

— Quoi ! vous n'avez pas su qu'il s'était suicidé ?

— Comment l'aurais-je appris ? (En fait, cette nouvelle ne me surprenait qu'à demi.) Suicidé... La solitude, peut-être ?

— Sûrement pas. Cette solitude n'était pas récente : il y avait déjà longtemps que la jeune femme dont vous avez vu le portrait...

— Était morte ?

— Non, avait disparu. Ne m'en demandez pas davantage : nous avons tous évité, en ce temps-là, de lui poser des questions.

— Alors, ce suicide ?...

— Écoutez, dit la femme de mon ami, je... je n'aimerais pas que vous vous moquiez de ce que je vais dire. Mais, peu de jours avant qu'il se tue, cette chienne singulière, que vous ne pouvez avoir oubliée, avait disparu.

— *Elle aussi !*

Ces mots m'avaient échappé, paroles stupides mais dont je vis qu'elle les fit tressaillir.

— Oui, elle aussi, reprit mon ami en détournant son regard.

C'était peu de semaines après l'horrible sécheresse de l'autre été. Ce jardin auquel il tenait tant venait d'être ravagé, brûlé sur pied malgré ses efforts.

— Plus une... fleur ? demandai-je d'une voix altérée.

— Plus une seule.

LA COURONNE

A travers les carreaux sales (jamais lavés depuis la mort de Denise) le gros Fernand aperçut Mme Danger et Mme Chalifour qui discutaient, avec des gestes étroits, non loin de la fontaine.

— Allons bon, les *pleureuses !*

Il avait parlé tout haut en se tournant vers la cuisine, la pièce de Denise. Il était trop vieux pour changer d'habitudes.

Les « pleureuses » levaient les bras au ciel et faisaient non de la tête. Fernand n'y put tenir ; il se leva, enroula autour de son cou, d'un geste qui datait de la communale, un foulard qui avait fini par prendre la teinte gris sale de ses cheveux, et marcha jusqu'à la fontaine après avoir crié au fantôme de Denise : « Je reviens tout de suite ! »

— Alors, mesdames, quelles nouvelles ?

— M. Trimblard est mort. On l'enterre jeudi.

— Victor ?... Lui aussi ! ajouta-t-il d'un ton de reproche.

Il n'en éprouvait aucun chagrin, mais une sorte d'insécurité : son rempart se démantelait. Chaque fois, qu'un visage s'effaçait ainsi sur la photo de groupe prise à la communale l'année de ses dix ans, ou sur celle de la caserne du 109ᵉ l'année de ses vingt ans, il se sentait un peu plus en danger. Victor aussi lui avait donc joué ce tour !

— Mais quand est-ce arrivé ?

— Hier au soir.

— Il ne se sentait pas bien depuis un moment ? hasarda Fernand sans trop d'espoir.

— Pensez-vous ! répondit cruellement l'une des pleureuses, je l'avais encore vu avant-hier : il se portait comme vous et moi.

Un nouveau pan du rempart s'effondra.

— Et vous allez, comme d'habitude, quêter de maison en maison pour sa couronne ?

— Eh bien, non ! fit Mᵐᵉ Chalifour en pinçant les lèvres. C'est de cela que nous discutions. Cette fois, nous ne ferons rien du tout.

— Mais enfin, d'habitude...

— Vous nous permettrez d'avoir notre dignité de femmes, monsieur Chauveau !

— Il y a des limites, ajouta Mᵐᵉ Danger.

— Mais Victor est mort ! Il a droit, comme les autres...

— Et comment a-t-il vécu ?

— Mais... comme nous tous !

— Vraiment ? L'amitié vous aveuglait, monsieur Chauveau.

— Je sais que vous n'aimez pas les chasseurs, mais...

— Il s'agit bien de chasse !

— Bon, il mangeait, il buvait un peu trop, je vous l'accorde.

— Toutes ces affaires d'hommes ne nous intéressent pas, dit Mᵐᵉ Chalifour avec un dégoût infini : les réunions d'anciens combattants, les banquets, le café...

— La politique, ajouta l'autre.

— Eh bien, alors ?

Il y eut un long silence ; seule la fontaine imperturbable...

— Monsieur Chauveau, dit enfin l'une des pleureuses en détournant son regard, vous êtes bien le dernier à qui nous voudrions donner nos raisons. Vous venez, madame Chalifour ?

Fernand lui empoigna le bras sans ménagement.

— Ah non, madame Danger, ça ne va pas comme ça !

Ce n'était pas seulement Victor qu'il défendait, mais la Société de pêche, le 109e d'infanterie, le Parti radical, les « joyeux boulistes » — l'espèce masculine tout entière...

La pleureuse se dégagea d'un geste brusque et rejoignit l'autre.

— Eh bien, c'est moi qui m'occuperai de sa couronne ! leur cria Fernand.

Il commença son pèlerinage, de maison en maison. « Victor Trimblard, vous l'avez bien connu ?... » Il avait repris son uniforme de veuf, pour faire plus convenable. A cette heure de la journée, la plupart des hommes se trouvaient au travail ou au café ; c'étaient les épouses qui l'accueillaient : « Et c'est vous, monsieur Chauveau, qui vous êtes chargé de ?... C'est très... comment dire ? Très *méritoire.* »

— Je ne vois vraiment pas pourquoi !

Il commençait à s'échauffer, le gros Fernand. « Méritoire »... Une autre avait dit : « Généreux. » Une autre encore : « Je ne vous savais pas si bon chrétien ! » Presque toutes montraient un petit sourire ironique qui se transformait parfois en une expression nostalgique qui rajeunissait leur visage. « Victor... Eh oui, Victor », murmura plus d'une en soupirant. La femme du menuisier avait les larmes aux yeux et donna un gros billet. « Quelle tête elles feront, les deux commères quand elles

verront la couronne que j'aurai réussi à quêter ! »
Fernand avait à peu près oublié Victor : seule comptait
sa revanche sur les pleureuses.

Il dut frapper longtemps à la porte de Bredin, l'ancien
peintre.

— Madame Bredin, ouvrez-moi ! C'est Fernand…
Tiens, c'est toi qui gardes la maison, Arsène ?

— Oui, ma vieille, c'est… c'est moi. (Il puait
l'alcool.)

— Tu as encore bu, salaud !

— Dis donc, Fernand, je te prierai de … Merde !
aide-moi à m'asseoir.

Il s'effondra dans son fauteuil à tout faire, la bouteille
à portée de main.

— Je viens pour la couronne à Victor.

— Quelle donc couronne ? Va te chercher un verre
propre, Fernand.

L'autre refusa et lui expliqua patiemment que Trimblard était mort hier soir, que la coutume voulait que les
pleureuses fissent la tournée des maisons, mais que ces
vieilles biques…

— Et c'est toi qui t'en es chargé ?

Arsène se mit à rire, à s'étrangler de rire. Il devenait
écarlate, le vin rouge semblait remonter jusqu'à ses yeux
exorbités. « Sacré Fernand ! »

— Tu en aurais fait autant, Arsène !

— Peut-être, mais moi c'était normal. Tandis que
toi…

— Eh bien quoi, moi ?

— Mais, ma pauvre vieille, il vous a tous fait cocus,
le Victor ! Beretreau, ce con de Leduc, Ernest… Qui
encore ? Le bistrot, pardi ! Et toi, comme les autres…

— Si tu n'étais pas saoul comme une bourrique, je te
flanquerais une raclée, Arsène. Tu n'as pas le droit
d'insulter Denise.

138

— Et comment qu'il se l'est envoyée, la Denise ! Il
paraît que tu la délaissais. C'est distrayant, la pêche à la
ligne, Fernand ; seulement voilà, on laisse la maison
ouverte derrière soi !... Et Beretreau, avec ses réunions
d'anciens combattants... Et ce con de Leduc, avec la
section du Parti... Et ce pauvre Ernest : il aimait trop la
pétanque... Tout se paye, Fernand, tout se paye !

— Et toi ? hurla l'autre qui se remémorait soudain
toutes sortes d'indices troublants. Et toi, tu crois que tu
es passé au travers peut-être ?

— Moi oui, répondit gravement Arsène : je ne quitte
pas beaucoup la maison tu comprends !

— Mais Adèle la quitte, elle ! cria Fernand en
claquant la porte derrière lui.

Il eut du mal à reprendre son souffle, puis sa marche.
Ah non ! il n'allait plus frapper à une seule porte...
Victor, cette ordure de Victor... Et ensuite, il devait
raconter ses affaires à tout le monde — enfin à tous les
bonshommes du village, en faisant croire aux uns que
seuls les autres... Le salaud !

Il ne voulait pas songer à Denise ; ce serait pour ce soir
— pour tous les soirs désormais ! Pour l'instant, il ne
pensait qu'à lui, à Beretreau, à Leduc, à Ernest, au 109e,
à la Société de pêche, au Parti — à l'honneur de l'espèce
masculine. Sa poche droite lui pesait et tintait à chaque
pas : tout cet argent maudit... « Une couronne pour
Victor, tu parles ! »

Il prit brusquement sa résolution et se dirigea vers la
maison du forgeron :

— Oh ! Beretreau, tu n'as rien à faire ? Viens-t'en
donc avec moi. On passera prendre Leduc. Et puis
Ernest, tiens ! Il y a longtemps qu'on n'a pas bu le coup
ensemble. Il ne faut pas se lâcher comme ça : le temps
passe, on ne sait plus ni qui vit ni qui meurt... Allons,
viens !

139

Les autres pénétrèrent dans le café, heureux et farauds comme des conscrits. « Tu as eu une bonne idée, Fernand ! On devrait se voir plus souvent, prendre un peu de bon temps... » Seul, Fernand gardait les sourcils froncés. Il sortit de sa poche une masse de pièces et de billets :

— Tu nous ouvres un compte, patron : tout ça doit disparaître avant jeudi... Et puis viens trinquer avec nous ! Tu y as droit, toi aussi.

M. DARIO

— Et pour vous, monsieur Dario, demanda la charcutière, une demi-tranche de pâté de tête, comme d'habitude ?

— Oui, merci, madame. — « Ou alors, poursuivit-il
dans sa tête, une ampoule qui s'allumerait dans le faux
nez. La main dans la poche du pantalon pour mettre le
contact... Une toute petite ampoule... Oui, mais je
risquerais tout de même de me brûler le nez, le vrai ! »

— Comment ça, vous brûler le nez ? demanda la
charcutière surprise.

— Pardonnez-moi, fit M. Dario confus, j'ai dû parler
tout haut. En fait, je... C'était seulement...

— Ça nous fera 2,70, poursuivit-elle sans s'attarder.

— Merci, madame.

Il quitta la boutique comme l'eût fait l'Homme
invisible. Mais, au moment de pénétrer dans la boulangerie : « Ou encore un nez gonflable ! Ce serait plus facile
à trafiquer : une baudruche qui envelopperait le faux
nez... Oui mais le tuyau, la poire, comment faire ?

— Une demi-baguette pour vous, monsieur Dario ?

— S'il vous plaît.

« Mais est-ce que ça les ferait rire, seulement ? Ils

141

sont devenus si blasés, ou si tristes... Ou les deux : cela va ensemble... La télé leur apporte à domicile et gratuitement les meilleurs numéros de cirque du monde — nous ne pouvons plus lutter ! Il n'y a plus que les tout petits qui savent rire. Et encore, on est en train de les gâcher avec toute cette publicité. Il s'agit de ressembler à tous ces personnages qui vendent du fromage ou des machines à laver et de parler comme eux : c'est le succès assuré ! Seulement, moi je ne marche pas... »

— Vous avez des enfants petits, madame Brun ? demanda-t-il soudain.

— Oui, dit la boulangère, trois : dix, huit et six ans.

— Vous les conduisez au cirque quelquefois ?

— Ça jamais ! Avec ces fauves qui peuvent s'échapper, ces chevaux qui ruent, ces acrobates volants qui leur donnent des cauchemars ? Non merci.

— Oui, hasarda M. Dario, mais il y a les... il y a des numéros pour les faire rire !

— Vous voulez dire les clowns ? Moi, ça me ferait plutôt pleurer.

— Vous peut-être, mais les enfants ?

— Je ne sais pas pourquoi, poursuivit-elle sans répondre, mais je les imagine toujours après la représentation, ayant ôté leur perruque, leur faux nez, leur maquillage et devenus tout petits et tout maigres dans leur imperméable pisseux...

Elle venait de trancher une baguette ; elle en enveloppa chichement la moitié dans une méchante feuille qui ressemblait à du papier à cabinet. Elle leva les yeux et vit M. Dario petit, maigre, si semblable à sa description qu'elle en tressaillit. Lui-même avait ressenti comme une blessure la réponse de Mme Brun. Il tendit ses piécettes en baissant les yeux. Il lui semblait que la boutique entière le regardait.

— Naturellement, fit la boulangère, c'est question d'appréciation. Ma belle-sœur...

« Elle va m'affirmer que sa belle-sœur, elle, conduit ses gosses au cirque toutes les semaines ! » pensa M. Dario.

— Bien sûr, bien sûr, madame Brun.

Ils troquèrent prestement l'argent et le pain, si légers l'un et l'autre, et le client en imperméable douteux s'éloigna à grandes enjambées. Sur l'un des bancs de la place voisine trônait un clochard, les bras en croix sur le dossier. M. Dario s'assit près de lui en disant : « Salut ! » L'autre fit de la tête un signe bienveillant.

Le regard du clown tomba sur les souliers du clochard qu'il trouva beaucoup plus comiques que ses godasses de piste — ou plutôt naturellement comiques, et non laborieusement. Il aurait bien aimé les lui acheter.

En l'observant aussi discrètement que possible, M. Dario vit que son voisin était en train de se rouler une cigarette et que, mise en valeur, l'opération eût constitué un *sketch* irrésistible. Ses gros doigts sales prétendaient faire tenir au creux d'une minuscule feuille de papier blanc une quantité de tabac tout à fait déraisonnable. Il espérait la prendre au piège en la roulant interminablement, mais cela ne faisait que compliquer le problème. Enfin, avec un geste de flûtiste, il colla d'un preste coup de langue cette chose informe et il en papillota les deux extrémités comme pour l'enfermer à double tour. Le briquet, qui ne voulait pas fonctionner, fournit les éléments d'un second sketch comique. « Ce sera long, pensa M. Dario, mais je peux sûrement m'en bricoler un pareil, qui rate à tout coup, mais géant naturellement ! »

L'autre parvint enfin à obtenir une flamme, inclina la tête, approcha la... — Il eut à peine le temps d'essayer

143

d'allumer ce qu'il était bien le seul à prendre pour une cigarette : tout s'enflamma d'un coup, sa barbe rousse évita de justesse l'incendie, et il ne resta rien de cinq minutes si appliquées, si minutieuses, rien qu'un envol de cendres encore rougeoyantes. L'éruption était terminée.

« Quelle *chute !* se dit le clown. Je tâcherai d'y inclure un pétard... » Il pensait non sans pitié aux trois enfants de Mᵐᵉ Brun qui ne verraient jamais le sketch « Dario s'en roule une ! »

— La vache, conclut seulement le clochard en dépoussiérant, avec une désinvolture de marquis, ses revers luisants de crasse.

— Oui, fit son voisin, c'est décevant. Comment vous appelez-vous, si ce n'est pas indiscret ?

— Paulo. Et vous ?

— Dario.

— Ah ! Et qu'est-ce que vous faites ?

— Ce que je fais ? Je... je suis clown. (Comme tous les gens du Voyage, il prononçait « clone ».)

— Clone ? répéta l'autre poliment, cela ne me dit rien.

— Mais si, dit M. Dario, celui qui fait rire dans les cirques.

Il sentait une sorte de désespoir l'investir.

— Ah ! *cloune ?* rectifia le clochard. Je vois.

— Quand vous étiez enfant, demanda M. Dario avec une fougue presque agressive, vous aimiez le cirque, vous ?

— Je n'en avais pas souvent l'occasion. Et je ne le regrette pas : sans vous offenser, les clowns justement me faisaient peur.

— Vous faisaient peur ? (Il s'écarta de lui, machinalement.) Mais pourquoi ?

— Je ne sais pas. Ce n'étaient pas des enfants ; et pourtant, ce n'étaient pas non plus des grandes personnes... Vous comprenez ? Il est vrai, ajouta-t-il bizarrement, que j'étais orphelin.

Il se fit un long silence. Puis M. Dario (« Mais pourquoi, mais pourquoi est-ce que je lui pose cette question ? Il risque de m'humilier encore ! ») M. Dario lui demanda à brûle-pourpoint :

— Qu'est-ce qui vous paraît le plus comique, un nez qui se gonfle ou un nez qui s'allume ?

Le clochard tourna les yeux vers lui, mais il ne le regardait pas vraiment. Il plissa son front et finit par dire, en hochant la tête.

— C'est ce qui m'arrive, à moi. Certains matins, je me réveille avec le nez tout gonflé ; et le soir, vers cette heure-ci, il arrive qu'il luise tellement qu'on dirait... — Mais ni l'un ni l'autre ne m'ont jamais fait rire.

M. Dario se leva brusquement.

— Salut !

Il se trouvait déjà à dix pas du banc quand le clochard l'appela d'une voix enrouée.

— Hé ! Pourquoi vous faites ça ?

— Ça, quoi ?

— Clown.

— Comment pourquoi ? cria M. Dario qui, depuis Mme Brun, pressentait cet éclat. Mais parce que mon grand-père était lieutenant-général de Buffalo Bill ! Parce que mon père était le Grand Carmo le roi des magiciens ! Et ma femme miss Darling, l'écuyère de rêve ! Et que notre fils est Rastoli, le plus célèbre jongleur du monde !

L'autre, là-bas, se leva et fit une sorte de révérence.

— Mais vous, dans tout ça ?

— Moi ? Moi, répéta M. Dario en levant ses deux bras comme un chef victorieux (et, l'une des mains brandissait

145

une demi-baguette, l'autre une portion de pâté de tête), moi, monsieur, cria-t-il en pivotant sur lui-même comme pour recevoir les acclamations d'un immense public, moi je suis DARIO, l'Homme qui fait rire son Siècle !

PÉPÈRE

Qui l'avait chargé de la garde de l'immeuble ? Personne, je crois bien. Cependant, il suffisait de le voir assis sans façon devant la porte cochère (avec cette arrogance que conférait à toute sa physionomie son prognathisme) pour comprendre que cette épaisse sentinelle empêcherait bien tout désordre de pénétrer dans la place. Pour comprendre aussi le surnom que lui avaient spontanément donné les gens : *Pépère.* Il n'avait pas de ventre, mais plutôt du « bréchet » (comme les hommes un peu trop sûrs d'eux). Tout le quartier, avec un mélange de crainte et de familiarité, l'appelait Pépère, mais il ne s'en irritait pas. L'Ordre et le Devoir... S'il avait dû se choisir une maxime, comme ces évêques dont il partageait la majesté, Pépère aurait sans doute choisi celle-ci : « l'Ordre et le Devoir ». Sa vigilance, il l'avait peu à peu étendue aux maisons voisines, à la rue entière, à tout le quartier où il effectuait à pas lents ses rondes débonnaires. Les gens l'acceptaient de plus ou moins bon gré : « Il exagère ! On est libre, après tout... »

— Pas du tout, monsieur, vous n'êtes pas libre de faire du tapage dans la rue, ou de trop boire, ou de battre un enfant... « Allez, ouste ! plus loin ! Sortez de notre territoire si vous voulez agir de la sorte... » Pépère ne s'exprimait pas aussi bien mais savait se faire comprendre. L'autre, le trouble-quartier, changeait de trottoir, décampait, ne se frottait plus au personnage. « Quel brave type, ce Pépère ! » pensaient ses protégés ; mais eux non plus ne se hasardaient pas à l'exprimer. Le remercier de quoi, d'ailleurs. L'Ordre et le Devoir...

Mais un soir — Ah ! ce sera donc toujours la même histoire ! — une créature fort tentante fit son apparition dans le quartier et il fut évident que, pour la première fois peut-être de son existence, Pépère n'était pas insensible à cette étrangère. « A son âge, si ce n'est pas malheureux ! » disait-on, mi-riant mi-scandalisé. Un autre, moins honnête, ne se serait pas laissé prendre à cette présence insistante et rouée. Pépère succomba. Pas le premier soir, bien sûr, mais vous savez ce qu'il en est : à la suivre des yeux trop complaisamment, à partir nonchalamment à sa recherche sous prétexte de patrouille familière... Et puis, il y avait ce parfum si violent que le gros personnage paraissait respirer à des rues de distance. Bref, Pépère accepta un rendez-vous, assez lointain de là (à cause des gens du voisinage), puis un second ; un autre encore...

Malheureusement, les habitants du quartier n'étaient pas les seuls à observer les faits et gestes de Pépère. Au soir de sa troisième absence, des voleurs survinrent. C'était l'été : ils purent cambrioler tranquillement tous les logements de l'immeuble. Quand l'autre reparut, à l'aube, il flaira aussitôt le désastre. Il espérait sans doute que tant d'années de vigilance et de fidélité le mettraient à l'abri de reproches trop blessants. Il n'en fut rien : les locataires, les gens de la rue, les commerçants, tout le quartier le prit à partie. Pépère en tomba malade ; il n'osait plus se montrer ; il cessa de s'alimenter et refusa tous les soins. Il faut croire qu'on peut mourir de honte puisque c'est ce qui lui advint. Il y avait belle lurette que la chienne, cause de tout le mal, avait changé de quartier.

LA FENÊTRE

Dans Saint-Sulpice, qui se trouve être, je crois, la plus vaste église de Paris, on peut remarquer, au-dessus de la porte qui conduit à la sacristie des mariages, une vaste fenêtre à petits carreaux garnie d'un appui en fer forgé. Elle semble condamnée et l'on pourrait même penser qu'il s'agit d'un trompe-l'œil de l'architecte. Pourtant, la chambre qu'elle éclaire (et qui prend jour, sur la rue, par une autre croisée en vis-à-vis) fut habitée, il y a bien longtemps, par un vieil homme très pieux, ami personnel du curé, lequel lui concéda cet arrangement à la condition qu'il demeurât secret.

Il logeait donc dans l'église même qu'il lui fallait traverser chaque fois qu'il devait sortir de chez lui, c'est-à-dire uniquement pour de maigres repas qu'il expédiait dans sa hâte à retrouver l'insolite demeure qu'il partageait avec Dieu. « Seigneur, j'ai aimé la beauté de votre maison, le lieu où réside votre gloire... » Telle était sa prière favorite ; et cette autre parole de l'Écriture : « Je veux passer tous les jours de ma vie dans la maison du Seigneur... »

L'angélus, au comble des tours, lui servait de réveille-matin ; la fenêtre, côté rue, montrait déjà l'aube livide de la ville, mais celle qui donnait sur la nef restait obscure et silencieuse. Il se levait, l'ouvrait doucement : la bonne odeur mêlée de cire et d'encens prenait possession de sa chambre. Le lundi, le relent des offices de la veille rendait cette senteur presque enivrante. Il regardait le jour se lever en silence sur les différents quartiers de sa *ville*, l'écluse de chaque vitrail filtrer une lumière avare sur la chapelle de Jeanne d'Arc, puis sur celles de Jean Baptiste, du roi Louis, de Vincent de Paul. Bientôt il éclairait ce que le vieil homme appelait son jardin : les vases de fleurs qui investissaient le maître-autel. Il s'agenouillait devant sa croisée et, pareil aux souverains chrétiens, faisait ainsi, d'une loge invisible, ses dévotions. Le sacristain venait sous son balcon et l'appelait discrètement à servir une messe et les vieilles du matin se demandaient à qui, le nez en l'air, parlait donc le bedeau. Celles du soir croyaient que la timide lumière qu'elles apercevaient derrière ces carreaux était un ricochet du couchant. Le vieux travaillait à des traductions qui apparemment n'intéressaient que lui — lui et Dieu, naturellement, comme tout ce que négligent les autres. Ainsi passait son temps jusqu'à la marée montante du rosaire et le salut du soir ; l'ostensoir était son soleil couchant. Puis l'église fermait ses portes dont les tambours hivernaux résonnaient longtemps sous les voûtes. Le vieil ermite pouvait alors ouvrir librement sa croisée et regarder s'allonger sur les dalles désertées l'ombre de l'étendard de Jeanne, celle de l'épée de Paul et celle de la Croix. Le soleil ne parvenait jusqu'à sa chambre qu'après avoir traversé les vitraux : on aurait dit que c'était le sang des martyrs ou la robe d'azur de la Vierge qu'il répandait en taches sur le sol. Parfois, les grandes orgues déchaînaient leurs avalanches terribles et les murs de sa chambre en tremblaient ; elles ne s'arrêtaient qu'à bout de souffle et, longtemps, le

151

prisonnier ravi croyait les entendre encore. Il connaissait si bien la routine que le moindre branle-bas le renseignait aussitôt. « Tiens, se disait-il, on prépare les sièges rouges d'un mariage... On tend les draperies pour des funérailles de première classe... Diable ! le trône du cardinal-archevêque... » Chaque fois que celui-ci visitait son peuple, le chétif locataire de Dieu devenait l'égal de ces privilégiés qui habitent sur le trajet des défilés militaires et dont le balcon, une fois l'an, devient une loge sans prix. La seule familiarité qu'il se permît avec son puissant voisin qui logeait dans le tabernacle était d'oser, la nuit, descendre en pantoufles dans l'arche déserte. Lorsqu'il avait vu s'éteindre, une à une, les constellations de cierges (qu'on soufflait à l'heure même où les vraies s'allumaient dans le ciel), il gagnait la sacristie par un escalier en pas de vis, poussait la lourde porte sculptée et faisait lentement le tour de son domaine. Il s'arrêtait devant chaque statue et avisait familièrement ces personnages plus hauts que lui comme il arrive qu'on s'entretienne sans paroles avec des arbres qu'on connaît depuis l'enfance. Devant le gigantesque crucifix, il stationnait longtemps avec un grand bonheur et trop peu d'émotion. Tout était serein et majestueux dans la vaste église, hormis ce corps nu, supplicié dont la couleur de bronze détonnait vraiment. Puis notre vieux bourgeois montait se coucher, tournant le dos au monde.

Un jour, il s'aperçut qu'il avait perdu la foi.

Les ouvriers qui manient sans cesse des explosifs finissent par oublier le danger ; ainsi notre homme, à force de ne plus prendre ses distances avec les Mystères, avait ramené le Sacré à des gestes vides, à un emploi du temps routinier. C'est la maladie des sacristains ; elle nous guette tous, clercs et laïques. Le charme ne se rompit pas d'un coup ; le lac, en vérité, s'asséchait peu à peu ; un matin, on en vit le fond. De l'angélus de l'aube au salut du Saint-Sacrement, le vieil habitant poursuivait son existence si calfeutrée — mais plus rien ne lui apportait de joie. Qu'est-ce qu'une église quand on ne croit plus ? Une cave, une réserve de pénombre, un musée discutable, un magasin de chaises. Les gestes des prêtres et ceux des fidèles lui paraissaient de tristes simagrées et, parfois, il lui prenait l'envie de crier pour briser cet enchantement auquel il n'avait plus de part. Si encore il avait trouvé une sorte de plaisir lucide à vivre dans ce désert tout neuf ; mais il s'y traînait lamentablement, ressentant à tout moment sa solitude et son imposture, vivant — si c'est vivre ! — au bord du vide.

On ne se résigne pas ainsi à perdre sa joie. Comme il était savant, le vieil homme rechercha dans les livres toutes les preuves de l'existence de Dieu mais elles lui donnèrent seulement de grandes migraines. Il se jeta alors dans les dévotions les plus extravagantes, consultant les vieilles qui y sont expertes et, à leur exemple, baisant les pieds des statues, prononçant des paroles très indulgenciées, allumant cierge après cierge. Rien n'y fit : le mal qui le désolait résistait aux sorcelleries les mieux intentionnées. Notre homme longea le désespoir ; il se serait bien jeté par sa fenêtre, mais les grandes mains de saint Pierre (dont la statue siégeait sous son balcon) l'eussent retenu.

Une nuit que la pensée de l'inanité de sa vie présente et surtout le souvenir du temps où il était intime avec Dieu le privait de sommeil, il s'habilla et descendit se promener dans l'église sonore. Il parlait tout haut en arpentant les dalles froides :

— Mon Dieu, commençait-il, mais il se reprenait aussitôt : Hélas, pourquoi « mon Dieu » ? Vous n'êtes pas à moi et existez-vous seulement ? Et si vous existez, ne me ferez-vous pas signe ? Ah ! pourquoi m'avoir donné

tant de bonheur à l'écart du monde pour me laisser si seul
à présent ? Et pourquoi ?...

Au bruit de sa voix, il vit remuer une forme à quelques
pas de lui. Un homme, si mal vêtu qu'il paraissait à demi
nu, dormait allongé sur la pierre dure. Il avait, comme le
font les enfants, ramené son avant-bras sur son visage
dont on ne distinguait que la barbe hirsute et la bouche
entrouverte. Il arrivait parfois que des vagabonds se
cachent dans l'église au moment de la fermeture afin d'y
dormir tranquilles ; mais ils recherchaient les tapis d'autel
ou les grilles par où parvient l'air chaud. Le premier
mouvement du vieux promeneur nocturne fut de s'en
retourner, sur la pointe des pieds, vers son gîte confortable. Pourtant, après quelques pas, il se retourna :
l'homme avait découvert son visage et celui-ci paraissait
si las et si douloureux que, sans réfléchir, le vieillard
revint auprès de lui, s'agenouilla et lui prit la main, ce
qui l'éveilla.

— Je vais partir, murmura-t-il aussitôt, ne vous
inquiétez pas : je vais partir tout de suite.

— Non, fit le vieux avec une autorité qui le surprit
lui-même, vous allez monter dormir dans mon lit.

— Mais je...

— Où avez-vous couché hier ?

— Dans... dans la rue, depuis trois nuits.

— Venez avec moi.

Il lui fit gravir l'escalier en pas de vis.

— Mais c'est votre chambre, monsieur. Où dormirez-
vous, vous-même ?

— Je ne peux plus dormir. Ne vous occupez pas de
moi. Bonne nuit, ajouta-t-il précipitamment car l'autre
faisait non de la tête — et il redescendit dans l'église,
s'assit sur une chaise, frissonna plusieurs fois et sombra
dans le sommeil.

Lorsque l'angélus l'éveilla, son cœur en l'entendant se mit à battre si fort qu'il comprit aussitôt que le lac s'était rempli en secret cette nuit. Il alla de statue en statue et, de nouveau, après ce long exil les retrouva vivantes. Alors, sans se soucier des vieilles qui, le chapelet à la main, avaient déjà repris leur poste, il courut jusqu'au maître-autel, enjamba la Sainte Table et, tel un homme ivre, gravit en titubant les marches qui le séparaient du tabernacle devant lequel il tomba en pleurant. Il se sentait au chaud et protégé comme si quelqu'un venait de le recevoir dans ses bras.

Quand il regagna sa chambre, il savait déjà qu'il la trouverait vide. En se penchant de son balcon vers son royaume retrouvé, il aperçut l'immense crucifix où le Fils de l'homme, à demi nu, était étendu au comble de l'abandon et de la douleur, et il tressaillit.

L'INCIDENT

Le dictateur aimait la chasse à courre et s'y livrait tous les mardis. C'est pourquoi le mardi était devenu le dimanche des pays voisins : ils savaient que ce jour-là, du moins, la guerre ne leur serait pas déclarée...

Un mardi d'avril, le dictateur s'éloigna de la petite troupe qui l'entourait, tomba de cheval à cause d'une souche et, la bête s'étant enfuie, affolée par les étriers volants, il dut poursuivre à pied. « Bah ! on va se mettre à ma recherche, ce ne sera pas long... »

Il parvint devant une hutte de branchages que dix hivers avaient gelée et dix étés rouie. Il en poussa la porte et vit un homme agenouillé. Longue barbe et cheveux longs, un visage aussi pâle que ses mains, des yeux profondément incrustés dans leurs orbites, et dont le regard sombre semblait éclairer la cabane. Son sourire ressemblait à une grimace tant il démentait la douleur attentive de ses yeux.

— Bonjour, dit-il d'une voix étrangement douce mais comme rouillée. (Il n'avait pas parlé depuis des mois.) Entre te reposer... Tu ne me déranges pas, ajouta-t-il en voyant que l'autre ne s'en préoccupait guère.

— Tu sais qui je suis ? demanda le dictateur mais d'un ton affirmatif.

— La belle question ! répondit l'ermite en fixant son uniforme : tu es un militaire.

— Si l'on veut !

— Si l'on veut, oui, reprit l'autre en hochant la tête.

— Quoi ! Tu n'aimes pas l'armée ?

— Moi, je n'ai guère d'importance ; mais je crois que les habitants de ce pays l'aiment quand elle les protège et la détestent quand elle les opprime. C'est naturel.

— Et moi je t'affirme que la présence d'uniformes dans nos rues les rassure tous.

— Rassure les uns et inquiète les autres.

— Bien sûr ! Ceux qui n'ont pas la conscience tranquille.

— C'est probablement ce que dit le dictateur (L'autre tressaillit.) justement pour se faire une conscience tranquille — mais c'est faux.

— Alors, qui l'armée effraie-t-elle, d'après toi ?

— Ceux qui sont nés du côté de la peur ; et elle rassure ceux qui sont nés du côté de l'argent.

— Comment peux-tu le savoir ?

— C'est que je suis passé d'un des côtés à l'autre.

— Eh bien, ce serait joli si l'armée n'existait pas ! fit le dictateur après un silence et vraiment parce qu'il ne savait pas quoi dire.

— Oui, ce serait... joli.

Il posa sa main frêle sur cette manche qu'alourdissaient des broderies dorées :

— Je comprends que tu défendes l'armée : pour un soldat, c'est tout naturel. Mais... mais, poursuivit-il en baissant la voix, j'espère que tu n'es pas obligé de participer à ces séances de tortures ?

— Non, fit trop vivement le dictateur, je n'y participe

pas. Mais, se reprit-il, qu'est-ce que tu me chantes avec tes histoires de tortures ?

— Soldat, dit l'autre en accentuant tristement son sourire, tu es donc le seul dans ce pays à ignorer ce qui s'y passe ?

— S'il arrive... quelquefois... qu'on y maltraite tel ou tel, c'est qu'il est un ennemi du peuple, un saboteur de la grande entreprise de rénovation nationale et un...

— Tu parles comme le dictateur, soldat ! Ce n'est pas bon signe.

— Et pourquoi ?

— Ton père ou ton maître d'école n'avait pas la même vision que toi ; et ton officier, à présent pas davantage. Cela s'appelle la liberté. Comment veux-tu que les gens du peuple, que chacun de ceux qui composent ce peuple pense comme le dictateur ?

— Quand j'étais enfant, justement, fit l'autre d'une voix altérée, je pensais en toute chose comme ma mère.

— Parce que tu l'aimais.

— Et pourquoi les gens de ce pays n'aimeraient-ils pas le dictateur comme...

— Comme une mère ? Ce ne serait pas juste : lui-même ne les aime pas du tout de cette façon-là.

— Et qui te dit qu'au début, lorsqu'il a pris le pouvoir...

— Je le crois, fit vivement l'ermite. Oui, je crois qu'au début il voulait vraiment les aimer d'un amour maternel. Et puis...

— Et puis quoi ?

Il venait de crier ; l'autre le regarda un long moment en silence.

— Il n'y a que les mères qui y parviennent, dit-il enfin. Et puis Dieu, bien sûr. Tu crois en Dieu ?

— Je vais à l'office tous les dimanches.

— Ce n'est pas ce que je t'ai demandé.

Il se fit un nouveau silence, plus lourd encore que le précédent. Puis l'homme maigre demanda, sans plus sourire du tout :

— Est-ce que tu pries quelquefois pour le dictateur ?

— Je... Non. Crois-tu, demanda l'homme en uniforme d'un ton presque implorant, que beaucoup pensent à prier pour lui ?

— De moins en moins.

— Comment le sais-tu ?

— Beaucoup de gens passent par ici. C'est loin de la ville, loin des casernes, tu comprends ? Ils me parlent, je les écoute. Oui, reprit-il en hochant la tête, de moins en moins. C'est l'approche de la fin...

— Comment cela, de quelle fin ?

— La fin de sa chance ; mais il ne s'en doute pas. Rien ne lui paraîtra changé : les cérémonies, l'armée, la police... la torture, ajouta-t-il en baissant de nouveau la voix. On construira de nouvelles prisons, mais... La fin tombe d'un coup, comme la nuit en novembre. Bientôt, ajouta-t-il avec un rire douloureux à entendre, il n'y aura plus que moi qui prierai pour lui !

— Tu pries pour le dictateur, toi ?

— Oui, comme on prie pour son frère. Tu ne peux pas comprendre, soldat, mais lui le comprendrait : il n'y a sans doute pas deux hommes, dans tout le pays, qui se ressemblent plus que lui et moi.

— Vraiment ?

Son embonpoint remplissait l'uniforme rouge et or, ses doigts portaient de lourdes bagues, et il tenait haut son visage trop bien nourri.

— Vraiment, oui, repartit l'ermite. Lui aussi est passé d'une rive à l'autre, mais dans l'autre sens : de la peur à l'argent. Lui aussi n'a plus que Dieu comme interlocuteur véritable ; seulement il l'ignorera jusqu'au dernier soir. Lui aussi vit seul, entièrement seul...

— En somme, dit le dictateur en s'efforçant de rire, tu le plains !

— Pas toi ?

— S'il te voyait, c'est lui qui te plaindrait !

— Bien sûr. C'est pour cela qu'il est perdu. Et c'est pour cela que je prie pour lui. (L'autre fit un mouvement.) Mais tu t'en vas, soldat ? Je ne t'ai rien offert. J'aurais voulu te donner...

— C'est très bien ainsi. Adieu !

— Si jamais tu repasses par ici...

Mais l'autre avait déjà tourné le sentier. Il marchait très vite en respirant trop fort. Il dut s'arrêter au bout d'un moment : il ne se déplaçait plus qu'en voiture ou à cheval et la marche le fatiguait. « Autrefois, pensa-t-il, je pouvais cheminer pendant des heures. Autrefois... »

Il entendit des rumeurs, des appels. « Les voici. Ils auront mis bien du temps à me retrouver ! Ils me cherchaient vraiment sans inquiétude et sans... » — le mot *amour* lui était venu à l'esprit, mais il le trouva ridicule.

Quand son lieutenant-général le rejoignit enfin :

— Excellence, nous nous demandions ce qui vous était arrivé. Votre jument...

L'autre l'arrêta d'un geste.

— Un simple incident !

Ils firent quelques pas en silence.

— Dites-moi, cette région-ci me paraît bien peu sûre. Est-ce que nous la tenons en main ?

— Plus ou moins, Excellence : c'est une sorte de maquis, vous savez...

— Il y a longtemps que vous auriez dû m'en parler. Nous allons y implanter une unité de la police d'État.

— Si vous me permettez, Excellence, cela risque de faire mauvais effet. Cette région est un peu sacrée. On prétend que la Vierge y serait apparue... Oh ! il y a des siècles, ajouta-t-il très vite en voyant la contrariété obscurcir le visage du chef. Mais vous savez comment sont les gens !

— Une caserne, reprit l'autre d'un ton bref en pointant le doigt vers la petite forêt qu'il venait de quitter, une caserne, *là !*

« EN CAS DE DANGER
TIREZ LA POIGNÉE... »

C'est peu après le kilomètre 76 que le mécanicien du rapide Paris-Brest se souvint tout à coup qu'il n'avait pas embrassé son petit garçon avant de partir.

Évidemment il aurait pu faire marche arrière pour retourner à Paris (car il n'était pas question de n'y point retourner !) mais ç'eût été dangereux. Comment voir un convoi roulant derrière soi sur la même voie ? Et puis tous ces gens qui avaient loué leurs places dans le sens de la marche, de crainte de vomir... — Non ! mieux valait carrément attendre le passage à niveau du kilomètre 79, demander au chauffeur de descendre, ouvrir doucement la barrière — « Tu remonteras en marche, vieux ! » et obliquer à gauche sur la route de Paris...

Dérailler... Là ! tout de suite les grands mots ! Mais, après tout, cela signifie seulement « quitter les rails » et, faite avec précautions par un homme qui connaît son métier, l'opération ne présente aucun risque, surtout à petite allure. Vous trouvez naturel qu'une roulotte à quatre roues de fer tienne la route : pourquoi un wagon à huit roues, une locomotive à douze roues n'y rouleraient-ils pas encore mieux ? La preuve c'est que le Paris-Brest y roulait tranquillement à présent, Brest-Paris, et tout son monde dormant paisiblement.

Paris, à 4 heures du matin, on y entre comme dans un moulin. Le mécanicien, qui n'habitait pas loin de la barrière, stoppa devant chez lui, dit au compagnon : « Attends-moi un moment ! » et monta embrasser son petit qui dormait.

Ils reprirent le rail sans encombres à Versailles-Chantiers. La route de Paris à Versailles, la nuit, est un enchantement, et le château endormi sous la lune... Ils étaient ravis et se promirent bien de recommencer.

Le lendemain, le trajet normal leur parut mortellement ennuyeux ; et le surlendemain :

— Dis donc, bonhomme, dit le chauffeur à l'autre, j'ai oublié mon grand mouchoir à la maison. Ça ne te ferait rien de...

— C'est bien vrai ? demanda le mécanicien pour la forme.

Mais déjà il calculait dans sa tête où recouper la route de Paris et comment rejoindre ensuite par un autre chemin. Car ne croyez pas qu'il suffît d'une carte de France routière et ferroviaire. Encore fallait-il connaître tous les horaires des trains : un accident est si vite arrivé ! Mais quand on a quinze ans de ligne on peut se permettre bien des choses.

Pourtant, cette fois, ils jouèrent de malchance : un voyageur profita de l'arrêt à Paris pour descendre, tout endormi, vit un café encore ouvert, y but une limonade et demanda au patron non moins ensommeillé que lui :

— A quelle heure repart le train ?

— Quel train ? fit l'autre.

— *Le* train ! Paris-Brest, quoi !

— Je ne sais pas, moi ! Renseignez-vous à la gare Montparnasse !

Chacun d'eux trouva l'autre singulier et ils n'ajoutèrent

pas un mot. Mais, en sortant, le voyageur ne vit plus de train du tout et, parce qu'il rentrait chez lui en pyjama, il eut des démêlés avec la police. Elle l'eût volontiers laissé repartir s'il ne se fût obstiné à parler du train dont il descendait à l'instant. Avenue Daumesnil ! Vous vous rendez compte ?

Une autre fois, un voyageur se réveillant en plein Bois de Boulogne (le lac et l'île, à gauche ; à droite les tennis : on ne pouvait pas s'y tromper !) manqua tirer le signal d'alarme. Mais il lut « qu'il était interdit de s'en servir sans motif plausible » et que « le contrevenant » s'exposait à des peines pouvant aller à je ne sais combien de francs d'amende et d'années de prison ! Le Bois de Boulogne... Était-ce là un motif plausible ? Il en douta et ne contrevint pas. En se réveillant à Brest, le lendemain matin, il crut avoir rêvé.

De ces incidents, l'équipe de tête ne sut rien et elle continua ses vagabondages. On mit dans la confidence le contrôleur et le postier. Cela permit de déposer *chez lui,* 23, bd Jean-Jaurès à Dreligny, un voyageur qui aurait dû faire à pied dans la nuit les kilomètres qui séparaient sa maison de la gare ; et aussi de porter le courrier à domicile — de rendre service, en somme.

Ils visitèrent ainsi des coins ravissants que le chemin de fer ne dessert pas. Ils allèrent chanter aubade sous les fenêtres du président de la Compagnie qui habite un château près de Veiloire. Il parut à son balcon, en chemise de nuit, dit avec simplicité : « Merci, mes amis ! » et rentra se coucher. Le lendemain il n'osa parler de sa vision à personne : dans les chemins de fer, il ne faut pas grand-chose pour perdre sa place !...

Mais les escapades du Paris-Brest devaient se terminer tragiquement. Une nuit, en reprenant le rail après un petit souper en forêt d'Orléans, il heurta un autocar dont le crétin de chauffeur, lassé de la route et désireux d'aller plus vite, roulait sur le chemin de fer. Il y eut douze morts et dix-huit bl...

— Eugène, dit la femme du mécanicien, au lieu de dormir la pipe au bec, avale donc ton café qui est froid à présent et file à la gare : tu vas être en retard !

— 21 h 11, nom de Dieu ! Je n'ai que le temps !

Il prit sa casquette et sauta dans l'escalier. Mais, à la hauteur du premier étage, il s'aperçut qu'il avait oublié d'embrasser son petit garçon et il remonta le faire tout de suite par précaution.

MINUIT

Était-ce des entrepôts ou des docks? Ou des « docks », mot sinistre, halles sonores, brumes, crimes impunis — oh! le martèlement, sur le quai désert, du meurtrier anonyme qui s'enfuit, le col relevé... Étaient-ce des docks ou des entrepôts que je longeais sans fin? La pluie se mit à tomber aigrement, face à moi — nuée d'insectes froids sur mon visage — comme pour me dissuader de ce retour auquel je rêvais depuis tant de saisons. Les pavés luisants montrèrent leur face blême de voyous et, comme deux serpents à mes pieds, je distinguai des rails oubliés, inutiles. Il n'y avait même plus de trottoir, ou si grêlé de fondrières qu'aucun piéton ne devait s'y risquer. Une voiture me rasa, puis une autre, qui m'éclaboussèrent sans le savoir. Elles ne m'avaient pas vu, elles regardaient ailleurs ; mais (je le savais bien maintenant) qui regarde qui ? Chacun de nous contemple hébété sa panique intérieure. Ces voitures aux yeux fixes fuyaient, fuyaient qui ?

Je marchais, je marchais, tandis que la pluie essayait de me gommer, de m'effacer. Pourtant, c'était ma ville. Onze années d'absence, d'errance, n'y changeaient rien — au contraire ! Onze années de souvenirs aux yeux fermés. Ma ville... Elle n'était plus la même ; mais moi non plus ; nous allions nous retrouver comme deux amis dont chacun, sans le dire, trouve l'autre méconnaissable.

Peu importait que je la reconnusse mal, mais pourquoi me tournait-elle le dos ? Ces entrepôts interminables, ces bâtisses sans regard, c'était le dos de ma ville ; ne pourrais-je donc plus jamais y entrer ? Une houppelande de fatigue me tomba sur les épaules. Il paraît qu'on vieillit par à-coups et non continûment ; je sentis que je venais de vieillir et, stupidement, je me retournai : allais-je voir, immobile sous le dernier réverbère, l'homme que j'étais encore vingt pas plus tôt ?

En avant ! Il ne fallait surtout pas s'arrêter. Reprendre pied, il ne s'agissait que de reprendre pied. Mais sur quelle terre ? J'avais l'impression de longer ma ville sans en trouver la porte. Longer la ville, longer la vie sans en trouver la porte, qu'avais-je jamais fait d'autre ? Je vacillai : un vertige de temps perdu, de forces dissipées... Quel âge me donnez-vous ? « Me donnez-vous »... C'est de vous tous que dépend mon âge, le vrai, celui qui me vient du temps qui me reste à vivre. En avant !

A ma droite, une lueur vivante, mouvante, passa derrière une croisée, puis l'autre, puis la suivante. Quelque veilleur à demi somnambule faisait sa ronde. Je distinguai, le long de mon chemin, des piles de ballots et de caisses, des blocs, des avenues de marchandises, toujours les mêmes, toute une ville à vendre. Et, de nouveau, le vertige et la nausée me saisirent. J'imaginais l'amont et l'aval de cette monstrueuse cargaison : les fabriques d'où elles sortaient, pénombre perpétuelle, ouvriers en toile bleue (je l'avais été quelque temps, mes mains ne m'appartenaient plus) ; ouvriers taciturnes qui partent avant l'aube et que la sirène vomit dans la nuit qui tombe, hommes de tous les crépuscules. Et des

167

caisses, des camions, des entrepôts pareils à ceux que je longeais, monstres enceints. Puis, de nouveau, les camions, dans toutes les rues, pour desservir les magasins, les innombrables magasins qui vendaient tous la même chose. Oh ! ce fourmillement d'entreprises inutiles... Mais (cela aussi je l'avais appris), tous les hommes, toutes les femmes rêvaient d'être commerçants. Ils avaient un tiroir-caisse à la place du cerveau ; contre la pauvreté, contre la mort, ils accumulaient ces pauvres sécurités : l'arrière-boutique, les réserves en sous-sol, le rideau de fer. Et ils logeaient à l'entresol, dormaient sur la boutique comme un chien sur son os. Des chiens qui dressent l'oreille au carillon de l'entrée, au *ding* du tiroir-caisse, au tintement de la monnaie — « et vingt qui font cent, c'est moi qui vous remercie... ». Miel du langage, piège de la devanture, mensonge, mensonge ! Mais chacun de nous, à l'affût derrière son faux sourire, ne tient-il pas ignoblement boutique de ses dons ?

Comme si ces pensées amères eussent eu le don de susciter un décor qui les justifiât, je m'avisai que j'avais quitté — mais depuis quand ? — le boulevard lépreux que ne bordaient que des entrepôts. Cette fois, c'était bien la ville, mais seulement de ces avenues boutiquières où les magasins immobiles et fardés se tenaient côte à côte comme des prostituées dans les quartiers portuaires. Côte à côte ! Pas une place libre pour une honnête maison où vivre, dormir, aimer, ne rien vendre. Le cancer avait donc gagné tout l'organisme ! On pressentait qu'aussitôt qu'une boutique fermait pour cause de fortune ou de ruine, elle était aussitôt reprise, ravaudée avec des matériaux sans consistance, du staf, du stuc, inondée de lumières criardes, tout le faux-semblant d'un théâtre, se meublait hâtivement de marchandises — les mêmes — de vendeuses inaptes et déjà lasses — les mêmes, les mêmes ! — et que la bonne vie allait reprendre entre la carillon et le ding, « et sept qui font dix, c'est moi qui vous remercie... ». Pour l'instant, tous feux éteints et leurs enseignes mortes, ces magasins ressemblaient à des coulisses de théâtre, mais une constellation d'étiquettes brillait encore à l'étalage : des prix, des prix, des milliers de francs... L'argent, l'argent sourire, l'argent enveloppé, enrubanné, et malheur à qui n'a pas d'argent ! Je n'en possédais plus, ma place n'était pas là ; mais y en avait-il encore une pour moi quelque part ?

Je pressai le pas, les yeux baissés, je vis mon ombre s'affadir : les lumières s'espaçaient, toutes les boutiques avaient disparu. Ces immenses cubes de béton dont on semblait avoir parsemé au hasard des pelouses galeuses étaient-ils encore des magasins généraux ? Ici ou là, sur ces façades sourdes et muettes, une petite lumière, aussi lointaine et froide que le feu de position d'un avion. Je m'approchai, afin de déchiffrer ces bâtisses borgnes : c'étaient des logements. Je demeurai hébété. Quoi ! c'était donc là que vivaient ceux que j'avais connus s'endimanchant, se saluant sur le palier, descendant les marches de leur perron, fermant leurs persiennes, le soir, en humant le temps qu'il ferait demain ? Mais non ! des taupes, des marmottes, des êtres sans regard et sans voix, ramassés sur eux-mêmes, et qui finissaient par ressembler aux niches qu'ils habitaient ! Je ne pouvais prêter à aucun d'eux le visage vivant des gens d'autrefois. Et je m'avisai soudain que c'était ce multiple visage qui m'attirait ici, qui m'avait aimanté du bout du monde jusqu'à cette ville, son royaume. J'avais bien songé au temps qui, bon an mal an, exécute son contingent de condamnés surpris. Oui, je m'attendais à bien des disparitions ; mais je n'aurais jamais pensé que la ville elle-même oserait, en mon absence, exiler mes amis, les chasser de ses entrepôts, de ses boutiques, de ses cages à vivre, les reléguer en banlieue comme, au petit matin, on

169

transporte honteusement les ordures vers des champs d'épandage.

Mais enfin, cette ville elle-même, je n'en retrouvais plus rien. La préfecture, le collège, le musée, le palais de justice, leurs frontons, leurs jardins, les grilles et les murs qui les entouraient, et tous ces arbres libres qui respiraient nonchalamment, souverains qui se faisaient habiller et déshabiller au gré des saisons, qu'en avait-on fait ? Et toutes ses églises ? Il m'avait bien semblé en apercevoir une, encastrée entre deux casernes, les épaules serrées mais la tête haute, comme le plus petit de la classe. Oui, je la reconnaissais à présent : Saint-Pierre-Saint-Paul, la cathédrale de mes Noëls d'enfant, celle dont les voûtes ténébreuses m'effrayaient tant — une naine qu'on écrase parce qu'on ne l'a pas vue ! Tous les monuments, mes témoins, devaient, eux aussi, être devenus des otages voués à l'agonie parmi des sentinelles de béton. Et moi, témoin vivant, qu'allais-je devenir ? La pluie des faubourgs avait bien raison de me dissuader de poursuivre. Que de fois je m'étais trouvé seul, à minuit, dans une ville étrangère ; mais se trouver à l'étranger, dans sa propre ville !

Cette pensée, de nouveau, me donna le vertige. Je côtoyais le vide. J'étendis les mains devant moi, comme le font les aveugles. Elles rencontrèrent un mur et, me forçant à lever les yeux, j'aperçus enfin des arbres dont la toison dépassait ce mur. Mon cœur se mit à battre trop fort, comme celui de l'homme qui avait perdu le souffle et voici qu'il le retrouve, et comme lui je respirais à poumons ouverts et tout mon corps se dilatait. Sauvé, j'étais sauvé ! Ce jardin, était-ce celui de la préfecture ou celui de l'évêché ? Peu importe, je savais qu'ils allaient se succéder désormais, et que je laissais derrière moi ces faubourgs inhumains, cette tumeur maligne qui s'était greffée sur la ville. J'avais dépassé la frontière du désespoir : ce mur, les arbres... Allons, c'était enfin le bon chemin. La grille d'entrée n'était plus loin. Allai-je revoir la colonnade du palais de justice, ou les vastes baies du musée municipal ? Ou peut-être quelque grande propriété dont les châtelains et leurs privilèges avaient survécu à tant de séismes ? Je me mis à courir le long du mur, le long de ce parc invisible où se trouvaient enclos à la fois mes souvenirs et mon espoir. A courir jusqu'à cette grille qui s'ouvrait sur le cœur de ma ville, de mon enfance, de mon bonheur. Je chantais en courant, courant toujours plus vite, chantant toujours plus fort, transporté d'impatience et de joie vers cette grille, ces arbres, ce silence.

J'y parvins ; la chanson s'arrêta dans ma gorge. C'était le cimetière municipal.

TÉNÈBRES

Ils s'étaient assis côte à côte sur le parapet de pierre, leurs jambes ballant sur l'eau, et ils ressemblaient ainsi à deux oiseaux frileux perchés sur le fil du télégraphe. Leur reflet dans le fleuve, déformé par le tourbillon issu de la pile, aucun d'eux ne pouvait le voir car ils étaient aveugles.

De l'hospice au pont, leur route n'offrait aucun danger ; bras dessus, bras dessous, quadrupède hérissé de cannes blanches et vêtu de la grosse étoffe bleue de la charité publique, ils se rendaient chaque après-midi au bord de ce fleuve et s'y taisaient ensemble, ce qui peut être le comble de l'amitié.

Aveugles, le premier l'était de naissance, l'autre à la suite d'un accident récent. Celui-là souriait sans cesse ; celui-ci seulement lorsqu'il en avait motif et ce n'était pas souvent. Il devait calculer chaque geste et se référer constamment à ses souvenirs. Son camarade, qui n'avait jamais connu que les ténèbres, y évoluait sans angoisse : le monde voyait pour lui. « Je suis sûr que les objets s'écartent », disait-il quelquefois et, comme tous ceux qu'il prononçait, le mot *objet* prenait alors un sens vivant. « Mon béret est sur la table... » Quel béret ? quelle table ? Il ne pouvait se les représenter à notre manière ; ils devenaient des objets uniques, différents des nôtres et qu'il n'aurait pas su décrire. La moindre de ses paroles recréait le monde.

Aveugle guide d'aveugle, chacun s'en remettait au compagnon de le conduire tandis qu'ils se rendaient à la rivière. La confiance de l'un, l'expérience de l'autre...

— C'est ce qu'il ne possédait pas qui en imposait à chacun. Puis ils s'asseyaient côte à côte, et le temps se mettait à couler, plus lentement que ce fleuve à leurs pieds. Ils tournaient le dos à la route, à tous ces gens qui vont, viennent, vendent, calculent, s'observent et, toute la journée, jouent les comédies que les aveugles ne vivent que la nuit lorsqu'ils rêvent.

— As-tu rêvé cette nuit ?

— Oui, répondit l'aveugle de naissance, surpris que son ami ait rompu leur silence. J'ai vu — mais comment t'expliquer ? — j'ai vu dans le ciel de grandes entreprises qui progressaient majestueusement en changeant de forme, comme les navires.

— Les navires ne changent pas de forme !

— Alors comment avanceraient-ils ?

— Ils ne changent pas de forme : ce sont les nuages.

— Ah ! fit l'autre en cessant de sourire. J'imaginais les nuages pareils à des villes au-dessus de nos têtes, d'immenses villes renversées.

— Renversées ? On y vivrait donc la tête en bas ?

— Pourquoi ris-tu ? Ceux qui vivent dans le ciel...

— Personne, personne ne vit dans le ciel, excepté les oiseaux.

— Les oiseaux... répéta l'aveugle de naissance.

Il se tut un long moment et ferma les yeux — je veux dire qu'il se concentra au plus loin de toutes les rumeurs qui, autour de lui, définissaient ce monde auquel il se livrait jusqu'ici avec une telle confiance.

— Les oiseaux, voici comment je me les figure : pareils à deux mains tantôt ouvertes et tantôt fermées. Et *on voit leur chant,* j'en suis sûr ; on le voit comme on l'entend.

— Ça ne veut rien dire ! D'ailleurs, ils ne sont pas du tout faits ainsi.

Et il lui décrivit sans amitié les moineaux communs car, du temps qu'il voyait, il n'avait jamais pris le temps d'observer d'autres oiseaux. Son compagnon garda le silence.

— S'ils étaient vraiment tels que tu le dis, se força-t-il enfin à répondre, ils n'auraient qu'une toute petite voix. Comment remplirait-elle l'espace au crépuscule ? Et quand chanteraient-ils s'ils ne songeaient qu'à manger ?

— Leur propre poids de nourriture, chaque jour ! Ils n'ont pas d'autre souci. D'un imbécile, on dit qu'il a une tête d'oiseau !

— On dit, on dit n'importe quoi, murmura l'autre avec rancune.

— Les moucherons, les vers, les papillons, ils dévorent tout ce qu'ils rencontrent. Je le sais, à la fin, je l'ai vu !

— Les papillons ! Qu'est-ce que tu me racontes ? Ils sont plus grands que les oiseaux...

L'homme qui connaissait le monde se mit à rire et lui décrivit les papillons de choux, puis les choux, puis tous les légumes potagers.

— Et les fleurs, et les fleurs ?

— Pourquoi cries-tu comme ça ?

— Et les fleurs ? répéta l'aveugle de naissance d'une voix basse et angoissée.

— Les fleurs ça ne sert pas à grand-chose ; et puis il n'y en a pas tellement.

— Pas tellement !

— Je veux dire qu'elles se ressemblent toutes un peu.

Ou plutôt, que, d'une année sur l'autre, c'est bien la même chose.

Il parlait sans malice. C'était un homme de la ville : il ne se consolait pas que son accident l'eût privé de faire des affaires, de conduire sa voiture, de regarder la télévision.

— Ne t'agite donc pas ainsi, conseilla-t-il bonnement, tu risques de tomber dans l'eau.

— Dans l'eau...

Il hésita longtemps puis, le visage dur (mais qui l'aurait vu ?), le ton impérieux, haletant, il se mit à interroger son compagnon sur l'eau, le fleuve, l'orage, l'océan. L'autre répondait avec la décevante exactitude d'un manuel scolaire. « L'orage ? — Eh bien, la condensation... la différence de température... » Tout se trouvait démonté sans mystère. Cet univers visible auquel il lui avait fallu renoncer, on eût dit qu'il prenait sa revanche à *l'épingler* ainsi. Et puis à chaque explication, il ressentait sa supériorité sur ce compagnon plus disgracié que lui.

Celui-ci poursuivit froidement l'inventaire. Devant ce visage impassible, personne n'aurait pu deviner quelle amertume, puis quel désespoir, puis quelle fureur montait en lui tandis que, sur son ordre, l'autre dévastait son univers.

De ce monde à l'écoute duquel il vivait, de ce monde merveilleux qu'il avait inventé en silence d'après ses mystérieuses rumeurs, plus rien ne demeurait. Jamais, jamais plus il n'oserait faire part à quiconque de ses visions ! D'ailleurs, lui-même allait les oublier, devenir incapable d'imaginer. C'était d'aujourd'hui, de tout à l'heure que datait seulement son infirmité : cette fois, il était devenu définitivement aveugle, par la faute de ce voisin qui poursuivait en souriant ses mornes explications. Et qui s'interrompait soudain, tournait vers lui un visage étonné :

— Mais pourquoi me poses-tu toutes...

Il ne put terminer sa phrase.

L'aveugle de naissance s'en retourna vers l'hospice avec beaucoup de prudence. Mais, en approchant des bâtiments, il se mit à courir, au risque de tomber. Son cœur battait et il n'était plus le maître de son souffle lorsqu'il pénétra sans frapper dans le bureau du directeur.

— Là-bas, cria-t-il devant lui, le pont sur la rivière... Un passant, un inconnu, nous ne l'avions pas entendu approcher... Il a dû pousser mon ami dans le dos : j'ai entendu son cri et le plongeon au fond de l'eau ; et puis, de nouveau, son cri, mais très loin...

L'AGREGAM

Le 10 mars, le ciel se trompa de saison. Quand Charles V. sortit du ministère, il s'arrêta, saisi, à la fois souriant et vaguement anxieux comme, sur le seuil de la gare, le voyageur qui débarque à l'étranger. L'étranger, ce jour-là, c'était seulement le printemps, avec des semaines d'avance. M. V. s'arrêta sous le porche du ministère ; ses collègues, dans leur hâte à s'enfouir sous terre, à regagner leur tanière, le bousculaient au passage.

— Eh bien, V., demanda l'un d'entre eux, vous êtes transformé en statue de sel ?

— Vous ne sentez pas ?

— Quoi donc, un incendie ? fit l'autre en reniflant et en fronçant les sourcils.

— Non, cette sorte de...

Il s'aperçut qu'il était impossible de définir le printemps ; il bafouilla « effluve... tiédeur... ».

— Allez, coupa l'autre en regardant l'heure à son poignet, à demain, mon vieux !

M. V. se laissa porter par cet effluve tiède jusqu'au jardin des Tuileries tout proche et là, sous un marronnier qui, comme lui, ressentait secrètement l'approche du bonheur, il s'assit, accablé de douceur. D'un chant

177

encore mal assuré, un oiseau leur donnait raison. M. V. ferma les yeux, évitant de penser à cette vie sans passion, sans enfants, sans saisons qui était la sienne.

Quand le soir tomba (il aurait dû être rentré à la maison depuis des heures, mais aujourd'hui « la maison » c'était ce jardin), quand la fraîcheur vint rompre le charme, il se leva, non sans déchirement, et prit le chemin du métro. « Tiens, s'étonna-t-il en descendant les marches grises, ces gouttes d'eau sur ·mon pardessus... Il n'a pourtant pas plu ? » Il ne comprit pas tout de suite qu'il avait pleuré. Mais de quoi ? De printemps, de bonheur : pleuré de vivre.

Mme V. l'attendait avec angoisse.

— Mais que vous est-il arrivé, Charles ? J'étais folle d'inquiétude. Depuis trente ans, jamais vous n'avez été en retard... J'ai appelé au ministère ; personne n'a répondu, naturellement. Ils pourraient tout de même laisser un factionnaire au téléphone. Imaginez qu'il soit *vraiment* arrivé quelque chose...

Ce bavardage permit à M. V. de reprendre pied. Il considéra son épouse avec une immense affection, mais rien de plus. Allons, il était bon de posséder une compagne aussi sûre, ordonnée, attentive. « Des enfants eussent tout changé, songea-t-il une fois de plus : elle, moi, le décor... Une autre vie, remplie de saisons... »

Cependant, il lui fallait inventer sur-le-champ un prétexte à ce retard, une raison plus plausible que l'imminence du printemps et ses patrouilles légères d'avant-garde dans le jardin des Tuileries. La vérité eût affolé cette femme si bonne ; M. V. lui mentit pour la première fois — et cela lui parut si indigne que, tout spontanément, il imagina une fable incroyable et non quelque raison crédible.

— C'est l'AGREGAM, lui dit-il en hochant la tête. Contrairement à tout ce que je pensais, elle prend forme.

— La Gergam ?

— L'AGREGAM, ma chérie : A.G.R.E.G.A.M. Tu as sûrement lu dans le journal de quoi il s'agit ? Tout de même !

Chaque matin, après l'avoir parcouru en buvant son café au lait, M. V. laissait le journal à son épouse afin qu'à son tour elle se mit au courant des nouvelles. Mais ce seul mot de « nouvelles » et ce « courant » qu'il fallait suivre, l'effrayaient. Aussi ne lisait-elle jamais aucun journal et ne demandait-elle à la radio que ses chansons et cette publicité qui, au contraire, la rassurait parce qu'elle ne lui parlait que d'elle et de son royaume mesquin. M. V. savait cela depuis des années ; il s'en servit pour la première fois.

— L'AGREGAM, Mathilde !

— Mais bien sûr, fit-elle, où avais-je l'esprit ? Et... cela prend forme ?

Il baissa la voix.

— Une première réunion a eu lieu ce soir, après le bureau.

— Vous auriez pu m'en prévenir, Charles !

— C'est que je ne pouvais pas prévoir qu'elle me concernerait. Comment deviner qu'ils me demanderaient de faire partie de la commission de travail ?

— C'est plutôt... flatteur, hasarda-t-elle.

Il eut un geste modeste et baissa les yeux. Il détestait cette comédie ; mais il ne parvenait pas à se sentir coupable d'avoir, le premier, détecté le printemps.

— Vous auriez pu, du moins, me téléphoner...

— Je pensais, répondit-il avec aplomb et un à-propos dont il n'était pas fier, je pensais que ce serait l'affaire d'un petit quart d'heure — mais pas du tout !

— Et qui d'autre figure dans cette commission ?

Il flaira le danger : Mme V. fréquentait les épouses de la plupart de ses collègues.

— Justement, des gens d'autres services : le secrétaire général des Relations culturelles (il n'existait pas), le sous-directeur de la section des Comptes prévisionnels, d'autres encore que je ne connaissais que de nom. C'est pourquoi je suis vraiment surpris qu'ils m'aient demandé de me joindre à eux — d'autant que tout cela demeure forcément assez confidentiel...

— Forcément, fit Mme V. en hochant la tête, et il en éprouva une certaine honte. Mais Charles, ce n'est pas... dangereux pour votre carrière ?

— Ni dangereux ni favorable. Cela ne me fera pas avancer plus vite — je veux dire : au cas où cela prendrait forme définitivement.

— Alors, demanda-t-elle en hésitant, quel est l'intérêt de cette... ?

— De l'AGREGAM ? (Il pensa à l'arbre, à l'oiseau.) Mais justement sa gratuité, Mathilde, comme toutes les entreprises vraiment valables. Le désintéressement, le service rendu. Je n'ai rien d'autre à en attendre que...

Heureusement, ce fut elle qui acheva ; il rougissait de confusion.

— La fierté de faire avancer les choses et d'aider les autres. Je vous comprends, Charles.

Elle posa sur la manche grise sa grosse petite main où se lisait toute leur vie : bague de fiançailles, alliance d'or, bracelet offert le jour de leurs noces d'argent.

— L'AGREGAM, répéta-t-elle avec une sorte de fierté. (Puis, après un silence :) D'ailleurs, que je suis sotte ! Je suis certaine, à présent, que vous m'en aviez déjà parlé... Est-ce que ce sera très prenant ?

— Je ne peux rien dire encore, répondit-il en détournant la tête. Simplement, Mathilde, si je suis de nouveau en retard, ne vous inquiétez plus jamais...

Il revint chaque soir en retard et l'on changea l'heure du dîner. Il s'était fait jusqu'alors une règle de rentrer déjeuner à la maison ; il y manqua le plus souvent désormais.

— Mais cela va vous entraîner des frais, s'inquiéta Mme V.

— Non, lui répondit-il, les déjeuners de travail sont pris en charge par l'AGREGAM.

— C'est la moindre des choses !

Elle se sentait à la fois jalouse et flattée : comme si son mari entretenait une liaison avec une femme plus brillante qu'elle, une femme dont on parle.

— Mais vous-même, lorsque je ne reviens pas déjeuner, est-ce que vous mangez, au moins ?

— Je grignotte, dit-elle avec une mine navrée mais courageuse. Quand vous n'êtes pas là, Charles, je n'ai guère d'appétit, vous savez !

« Les veuves maigrissent-elles ? » se demanda bizarrement M. V. Il ne retrouva sa bonne conscience que lorsqu'elle lui raconta qu'elle avait déjeuné avec une telle et que, le lendemain, elle irait avec telle autre voir un film à la séance de midi. Ou encore qu'elles projetaient d'organiser un bridge hebdomadaire avec des amies dont le mari non plus ne revenait jamais déjeuner.

— Bien, bien. J'ai moins de scrupule à vous... délaisser un peu. Mais attention, ne parlez à personne de l'AGREGAM !

— Et que leur dirais-je ? fit-elle non sans rancune (son visage en parut plus étroit). Vous-même ne m'en dites jamais rien...

— C'est trop tôt, répondit-il à tout hasard. Et puis nous nous sommes imposé cette règle de discrétion absolue.

— Tout de même, une épouse...

Un immense remords envahit M. V. Il ne se rappelait pas avoir jamais menti à sa femme, même par omission.

Il manqua lui avouer tout... — Mais lui avouer quoi ?
Qu'il avait brusquement, à près de soixante ans, découvert la Nature ? Découvert cette incompréhensible et
splendide création au milieu de laquelle les hommes
avaient aveuglément installé leur camp volant ou qu'ils
exploitaient sans égards — et qui se laissait faire
bonnement, pareille à la chatte que têtent brutalement
ses petits et qui, malgré leurs coups de tête, ronronne de
bonheur... Car n'était-ce pas cela, l'été ? Après ce
printemps timide (dont M. V. avait surpris le premier clin
d'œil) puis si tendrement effronté, la Nature ronronnait
de bonheur.

M. V. participait à cette heureuse indolence. Il ne se
contentait plus des Tuileries ; il connaissait désormais
tous les jardins de Paris et même, dans chacun d'eux, les
massifs de fleurs et les groupes d'arbres. Il avait acheté
des livres de nature afin d'appeler par son nom chacune
de ces merveilles. Là où les enfants couraient sans rien
voir, là où passaient les promeneurs sans même lever les
yeux, M. V. demeurait longtemps immobile, arbre parmi
les arbres, le cœur battant (au sens propre du mot et
parfois à se rompre) d'admiration — et davantage :
d'amitié, de désir de se fondre à eux, de se mettre dans
leur écorce... Cette charge de feuilles, cette pensée
furtive des oiseaux, la caresse ou la tourmente du vent,
l'embaumement des fleurs (oh ! les tilleuls de juin), la
profusion des graines et leur impatience à partir — il lui
semblait ressentir tout cela dans son corps même. Il se
penchait sur les massifs de fleurs, admirant parfois
jusqu'aux larmes leur perfection.

Ce qui le désolait, c'était qu'on les plantât toutes
fleuries. Il aurait voulu les aimer dès leur émergence
fragile, dès que sortait de la terre noire un germe vert
informe ou, au contraire, une petite plante qui ressemblait à ce qu'elle deviendrait, déjà parfaite comme la

main du nouveau-né. Il se rendit, aux confins des banlieues, dans les serres de la Ville afin de suivre, jour après jour, ce prodige. Il pénétrait dans la touffeur humide, à midi, sous les voûtes de verre et n'en sortait qu'au moment d'étouffer. Rien n'était plus mauvais pour son cœur depuis toujours si fragile, mais peu lui importait.

Les jardiniers de la Ville, paysans de Paris, le connaissaient bien ; et lui les saluait par leur nom et serrait ces mains gravées et bordées de noir avec une véritable gratitude. Il les questionnait sur toutes choses ; il leur rendait, grâce au ministère, de menus services d'un grand prix à leurs yeux mais qui, aux siens, ne comptaient guère en comparaison des secrets de la greffe ou du bouturage qu'il apprenait d'eux. Hélas, cette main si blanche continuerait longtemps encore à gratter du papier, constituer des dossiers, les classer sans appel... Pareil à l'écolier paresseux, M. V. tournait trop souvent la tête vers la fenêtre de son bureau d'où il apercevait l'extrémité de la branche d'un arbre. Elle suffisait à lui dire les saisons et, les matins de grâce, un oiseau s'y posait dont la vue le consolait et tout ensemble le désespérait.

Chaque matin, en attendant la rame du métro, il se tenait debout, souriant, à la fois attentif et rêveur devant ce plan de Paris qu'on trouve au mur de toutes les stations. Il n'en étudiait que les espaces verts, parcs ou cimetières. A présent, il les connaissait tous, même les plus ténus, et chacune de ces petites taches évoquait pour lui des délices divers. Il savait ceux qu'il convient d'arpenter à midi ou, de préférence, au crépuscule ; ceux à qui l'automne va mieux que le printemps ; ceux que préfèrent les mésanges ou que fréquentent encore un ou deux écureuils.

Il s'aperçut qu'en hiver les taillis et même certains

arbres ne changent pas. Il se postait à leur côté, sentinelles silencieuses, et parvenait, à force de contempler la terre nue et les branches désertes, à imaginer — non! à *voir* ce qui, dans quelques mois, en surgirait : cette merveilleuse invasion dont l'annonce, un certain 10 mars, avait transformé sa vie.

Quand il rentrait chez lui, Mme V. qui, depuis des heures, n'avait pu se faire écouter de personne, lui racontait en détail sa journée si remplie de rien. Il lui prêtait une attention apitoyée et non exempte de remords. « Je la laisse perdre sa vie, se disait-il souvent ; je n'en ai pourtant pas le droit... » Car enfin, il avait promis de tout partager avec elle ; il l'avait même aimée. Aujourd'hui, elle lui paraissait une étrangère, ou une aveugle, et tous les autres avec elle. Pourtant, il ne se sentait jamais seul : il habitait toute la terre... Mais « terre » n'en dit pas assez ! C'était la Création tout entière qu'ils peuplaient, lui et quelques autres, mais si rares, qu'il reconnaissait à leur regard et avec lesquels il suffisait d'en échanger un, devant une fleur ou au chant d'un oiseau, pour se reconnaître à la manière des conjurés.

— Et vous, Charles ?

— Comment ?

— Je veux dire : et vous, quoi de neuf, aujourd'hui ?

— Mais... Ce que vous savez, répondit-il. Pris de court, obligé de jeter du petit bois dans le feu de son imposture, il inventait sans trop de honte : — Ils m'ont chargé du rapport récapitulatif... Ou encore : — Je crois bien qu'ils voudraient me nommer secrétaire général...

— Il faudra accepter, Charles, disait gravement Mme V.

Alors, pris de remords :

— Mathilde, si nous allions ensemble, dimanche, visiter les jardins de la Fondation Kahn ? Il paraît que...

184

— Mon ami, vous savez bien que la marche me
fatigue.

Quel soulagement ! Il n'aurait pas aimé partager son
royaume. Ou peut-être craignait-il que l'indifférence de
sa compagne n'approfondît le fossé qui, sans qu'elle s'en
doutât, les séparait déjà. Ou encore que son propre
enthousiasme devant tant de merveilles le trahît. « Je ne
savais pas que vous aimiez la nature à ce point,
Charles ! »

Lui aussi, la marche le fatiguait, et de plus en plus.
Certains jours, parvenu au jardin projeté (c'était la
veille, en s'endormant, qu'il le choisissait), il devait
s'asseoir lourdement sur le premier banc qu'il y trouvait.
Ses promenades se réduisaient le plus souvent à de
longues stations successives devant une plate-bande ou
quelque vallon d'herbe où les oiseaux, rassurés par son
immobilité, venaient se quereller sous ses yeux. Il les
écoutait ; il entendait aussi son propre cœur battre à
coups précipités. « C'est de cela que je mourrai »,
s'était-il dit paisiblement. (C'était au parc Monceau, un
10 mars précisément.) Si cela m'arrivait dans un jardin
et tout d'un coup, quelle grâce ! »

Cela lui arriva dans un jardin, tout d'un coup ; et
Mme V. se demanda ce qu'il pouvait bien faire, à cette
heure-là, assis dans un fauteuil de fer près du kiosque du
parc Montsouris. A son fleuve de larmes le doute mêla un
filet d'amertume — mais à qui s'en ouvrir ? Elle espérait
qu'*ils* (les gens de l'AGREGAM) se manifesteraient
enfin, lui exprimeraient, fût-ce dans le plus grand secret,
la perte irréparable qu'ils venaient de faire en la
personne de leur président. (Car, entre-temps,
Charles V. l'était devenu — « Mais pas un mot, je
compte sur toi, Mathilde ! ») Ils ne donnèrent pas signe
de vie. Elle eût préféré qu'il disparût au cours d'une

mission secrète, plutôt que de cette façon trop bénigne pour n'être pas stupéfiante : un petit garçon dans un jardin public, qui court dire à sa mère : « Le monsieur, là, tu crois qu'il dort ? Il est tout blanc... »

L'enterrement fut convenable. Beaucoup de collègues s'étaient dérangés ; on les reconnaissait à ce qu'ils parlaient entre eux, à voix basse, du ministère. Ils avaient offert une gerbe assez modeste, mais la saison n'était guère propice : le printemps, cette année-là, lambinait en chemin.

Cependant, au moment où l'office allait commencer, les hommes en noir déposèrent au pied du cercueil, en soufflant trop fort tant elle paraissait lourde, une immense couronne composée de fleurs de toutes les saisons — ce qu'aucun souverain, aucun milliardaire n'aurait pu obtenir d'aucun fleuriste.

Mme V. releva le crêpe qui dissimulait ses yeux noyés et son nez rouge et lut, en lettres immatérielles sur un large ruban diaphane :

L'AGREGAM A SON PRÉSIDENT.

LA NUIT
DANS UN MUSÉE DE CIRES

Le veilleur de nuit du musée Grévin ferma toutes les issues à double tour. Il jeta sur une banquette cette casquette, insigne d'une servilité indigne de lui, et alluma une cigarette sous la pancarte INTERDICTION DE FUMER — DANGER. Le véritable danger, le mal inguérissable se trouvait ailleurs ! Derrière ces portes qu'il venait de verrouiller : du côté de ces fantômes qui déambulaient sur les boulevards et qui croyaient vivre, les malheureux ! Par une disgrâce dont ils semblaient tout à fait inconscients, leur vie inexistante se déroulait en dehors de l'Histoire. L'Histoire, nous l'avions tous étudiée dans des manuels à l'école ; elle rutilait d'uniformes, d'assassinats fastueux, de complots, d'amours, de poisons, de traités d'alliance presque aussitôt dénoncés que jurés. L'Histoire... Qu'avait-elle de commun avec cette grise chronique que les journaux s'essoufflaient à nous livrer au jour le jour ? Non, les temps de l'Histoire étaient accomplis — mais qui paraissait s'en aviser, hormis le gardien de nuit du musée Grévin, dernier témoin de ces siècles de pourpre, d'or et de sang et seul vrai maître de l'Histoire ?

— Parfaitement, le maître de l'Histoire !

Il a parlé tout haut et, dans cette capitale du silence, chaque parole résonne comme un sacrilège. Du silence, non ! C'est comme si vous compariez un homme bâillonné à un cadavre. Le silence de ces lieux n'est qu'une illusion : il est composé de cris retenus, de sanglots étouffés, de discours que la terreur étrangle ; il est de la même étoffe que l'instant qui suit une proclamation historique ou quelque geste irréversible : un silence habité.

Le maître de l'Histoire écrase sa cigarette et, sans un regard aux pantins de l'actualité qui peuplent le hall du musée, il descend deux étages et pénètre d'un pas assuré dans l'épopée de Jeanne d'Arc. Négligeant les préliminaires prodigieux et les péripéties héroïques, il va droit à l'essentiel : le sacre de Reims ; il s'agenouille près de la bonne Lorraine et lui parle doucement, mais sa voix couvre les fanfares et les vivats.

— Ta mission est accomplie, mon enfant. A présent, tu vas rentrer chez toi par une voie triomphale. On t'aura dressé des arcs de feuillage et l'on tendra vers toi, à bout de bras, des enfants plus petits que la tête de ton cheval afin que tu les bénisses... Mais toi-même tu sais bien qui te bénit, en ce moment même, des balcons du ciel, mon enfant, ma petite enfant !

Il se relève, baise les plis de l'étendard et sort à reculons comme il se doit devant les souverains. Puis il ferme soigneusement derrière lui la porte à l'Histoire, à Compiègne, à Rouen.

Trois étages à monter et le voici qui pénètre dans la chambre où l'empereur Napoléon — « Mon fils... France... Tête d'armée... » — vient de rendre le dernier soupir. Il attire à lui une chaise basse et s'assied au chevet d'ivoire de celui que l'agonie vient de remodeler à la ressemblance de Bonaparte. Sur l'autre siège, le général Bertrand garde son visage caché dans ses mains.

— Allons, dit à mi-voix le maître de l'Histoire, cette fois c'est enfin le repos — pour toi, Sire, et pour le monde entier. Il t'est bon de mourir ici, à l'île d'Elbe. Je sais bien quels desseins tu fomentais, mais songe plutôt qu'ils auraient pu tourner au désastre. Peux-tu imaginer la défaite de ta Grande Armée, les cosaques à Paris, tes ennemis dépeçant l'empire et ton fils écarté du trône ? Non, non, dors en paix, Sire, tout est grâce...

Il pose la main sur l'épaule de Bertrand, puis s'en va fermer la fenêtre car le vent de la Méditerranée peuple de fantômes les rideaux légers du lit de camp. Il sort à pas de loup et, plus doucement encore, il ferme la porte de l'Histoire.

Par devoir, par routine il va traverser le Bal de la Malmaison et le Camp du Drap d'Or. Il n'accordera pas un regard au duc de Guise ni à Ravaillac : sa mission l'appelle quelques étages plus bas, là où Robespierre, Danton et quelques autres s'égosillent en silence. — Parle toujours, mon bonhomme ! jette-t-il à celui-ci en passant ; et à l'autre : — Ton tour viendra. Si tu savais... Il les plaint sincèrement, le maître de l'Histoire ! Mais pour Fouquier-Tinville, tout emplumé de tricolore, trônant derrière son tribunal, c'est seulement du mépris qu'il éprouve (et je crois bien qu'il vient de cracher dans sa direction). — Bien fait ! murmure-t-il encore à l'adresse de Marat dont le sang a, depuis le temps, la couleur de Venise au crépuscule et il adresse un clin d'œil complice et reconnaissant à Charlotte Corday.

Il frappe avant d'entrer dans la chambre de Marie-Antoinette et ferme la porte au nez des gardes nationaux qui l'espionnent sans cesse entre deux pichets de vin rouge.

— Majesté, murmure-t-il en s'inclinant, cessez

d'avoir peur, je vous en supplie. Le roi garde bon espoir. (On l'a guillotiné, mais elle ne le sait pas encore.) Et puis, ajoute-t-il en baissant le regard et la voix, M. de Fersen ne vous abandonnera pas, vous le savez bien... L'enfant royal ? Je viens de le voir et je vous assure qu'il est bien traité... Madame, je vous en prie, cessez de pleurer...

Il ose baiser cette main livide, cette main si froide. Il s'incline de nouveau profondément, se retire et ferme la porte à deux verrous. Ses yeux sont brillants ; il touche le fond du désespoir. Du doute, surtout ! Il va veiller toute la nuit, toutes les nuits, mais pourra-t-il empêcher l'Histoire aux mains de sang de pénétrer jusqu'ici, toutes portes closes ?

LA GROSSE BÊTE

Les administrateurs de l'*African Import Cie* ne furent pas autrement surpris, en pénétrant dans la salle du conseil, de trouver un jeune éléphant siégeant tant bien que mal dans le fauteuil de Lord Aversham. Celui-ci avait toujours eu, lui aussi, le teint gris, de petits yeux ronds au regard étroit et d'énormes oreilles. Pareille circonstance fût advenue sur le continent, quelqu'un aurait hasardé une remarque ; mais dans la *city*, personne. Seul le plus jeune administrateur risqua un œil vers le Lord-président qui lui rendit un regard froid qui signifiait : « Et alors, jeune homme, vous n'avez donc jamais rien vu ? » Il se le tint pour dit. Les autres tenaient leurs yeux baissés.

On entama l'ordre du jour. Le Lord-président avait, d'un geste qui lui était familier depuis quarante ans, posé sa montre de gousset (celle de son trisaïeul) à plat sur la table. Il lisait, d'un ton monocorde, en assurant son monocle de la main gauche, des propositions élaborées depuis des mois par les services de la Compagnie et auxquels les honorables membres du conseil ne comprenaient pas grand-chose. Puis il ôtait son monocle (ce qui le privait de deux de ses trois mentons) et faisait le tour silencieux de la table en arquant les sourcils d'un air interrogateur.

Les autres acquiesçaient gravement (ce qui soudain les dotait de trois mentons). Le Lord-président faisait alors un signe au secrétaire du Conseil qui se mettait à gratter furieusement du papier. Ensuite, il jetait un coup d'œil à sa montre et passait au point suivant. Il y avait presque un demi-siècle que se déroulait très exactement ce rituel. Les bombardements de Londres durant la Seconde Guerre mondiale ne l'avaient pas davantage interrompu ou modifié que ne l'avait fait « l'incident du 11 novembre 1918 ». Un secrétaire bien intentionné s'étant permis d'ouvrir la porte de la salle du conseil et d'annoncer d'une voix vibrante : « Messieurs, l'armistice est signé ! » — « Ce n'est pas l'ordre du jour », avait répondu le Lord-président de l'époque. Cette fois-ci, les trois premiers points de l'ordre du jour donnèrent lieu au même cérémonial. Mais, lorsque le président réclama l'assentiment de tous sur le quatrième point, le pseudo-Lord Aversham se permit de barrir. « Y a-t-il opposition, mon cher collègue ? » demanda faiblement le président sans lever les yeux sur l'interrupteur. Un silence s'ensuivit où l'on entendit seulement les deux voisins de l'importun écarter hypocritement de lui leur siège. Le Lord-président fit signe au secrétaire en ajoutant à voix basse : « Hum... Objection non maintenue. »

On passa au point suivant et, cette fois, le pseudo-Lord Aversham se contenta d'agiter ses puissantes oreilles, ce qui fit s'envoler les papiers du secrétaire. Le président feignit de ne pas s'en apercevoir. Les autres acquiescèrent deux et même trois fois, comme pour réparer par leur bonne volonté l'incongruité de leur collègue. Le secrétaire avait, d'une main tremblante, ramassé ses papiers épars mais il ne parvenait pas à les remettre en ordre. « Pas d'opposition », lui dicta le président d'une voix pâle ; il consulta sa montre : décidément, le temps passait bien lentement aujourd'hui.

Lorsqu'il eut achevé d'énoncer le cinquième point, il attendit et tous les administrateurs attendirent, attendirent le pire. Et soudain le tapis vert se trouva proprement arraché de sous leurs mains sagement posées à plat sur lui depuis le début de la séance. Leur nouveau collègue avait piqué ses défenses dans l'étoffe et tiré — oh ! d'un tout petit revers de sa tête puissante, mais maroquins, flambeaux et cendriers volaient à travers la pièce. L'acajou de la table apparut, ce qui, de mémoire d'administrateur ne s'était jamais produit. L'un d'entre eux se fût déshabillé lui-même devant tous les autres qu'ils n'en eussent pas paru plus choqués. Cette fois, ils osèrent lever les yeux et les tournèrent vers le Lord-président.

— Messieurs, déclara celui-ci après s'être affermi la voix, je crains que le moment ne soit venu d'appliquer le paragraphe 4 de l'article 7 de notre règlement intérieur : à savoir l'exclusion d'un membre du conseil par simple vote à mains levées, en cas de... hum ! « d'obstruction caractérisée rendant impossible la poursuite de la tâche du conseil »... Messieurs, j'attends votre vote.

Six des membres (ceux qui siégeaient au plus loin du pseudo-Lord Aversham) levèrent le bras, mais ses six voisins les plus proches gardèrent leurs mains jointes et leurs yeux baissés. Le suffrage du président n'entrait pas dans le décompte du scrutin. Ainsi aucune décision ne semblait devoir en sortir, lorsqu'on vit, non sans stupeur, le collègue intempestif lever sa trompe bien droite. Puis, très dignement, le jeune éléphant se leva, marcha vers la sortie malgré les plaintes du parquet, s'y engagea (ce qui fit voler en éclats une porte sculptée du XIVe siècle qui figurait à l'inventaire royal) et disparut.

Le président se pencha vers le secrétaire.

— Veuillez appeler le domicile de Lord Aversham, je vous prie.

Il y trouva un majordome auquel il demanda si son maître se trouvait bien à Londres ces jours-ci et s'il ne lui était rien arrivé de fâcheux.

— Je vous prie de m'excuser, milord, dit le valet. J'étais chargé de prévenir Votre Honneur et je dois confesser à ma honte que j'ai omis de le faire. Lord Aversham ne pourra pas assister au conseil de ce jour : il est parti avant-hier chasser la grosse bête dans le Kenya.

RAMASSAGE A L'AUBE

A l'œil vague, rien ne distingue un fêtard qui, le teint assorti à l'heure blême, s'en retourne, l'esprit nauséeux, vers un sommeil de mauvais aloi, et l'homme qui, pâle de solitude et tout frissonnant de sa nuit interrompue, se hâte vers quelque gare livide. De ces ludions de l'aube, de ces frères ennemis, aucun ne remarque un camion bleu ciel qui se déplace lentement de maison en maison ; ou encore, si son regard étroit s'égare sur lui, pensera-t-il qu'il s'agit là de quelque éboueur commençant trop tôt sa besogne. Pourtant, s'il n'était occupé que de lui seul, cette couleur azur devrait bien l'intriguer...

C'est le Ramasseur de rêves qui achève sa tournée sans témoins. Contre l'entrée de chaque demeure, sentinelles fétides, les poubelles regorgent d'ordures. Les restes familiers de la veille, ou encore des épaves qu'un grand rangement, remis au lendemain depuis trop longtemps, a fait surgir des caves et des placards, veloutées de poussière ou molles de pourritures, attendent qu'une main rude les bascule dans un camion de métal qui les mâchera en chemin. Mais dans chaque maison, dans chaque chambre de chaque maison et à l'insu de ses dormeurs, se sont accumulés d'autres déchets qu'il faut bien évacuer, eux aussi, sous peine de les voir pourrir sur place et contaminer tous les habitants. Ces inconnus qui, dans une heure ou deux, vont se réveiller dispos ou déjà las, se questionneront l'un l'autre s'ils ont bien dormi :

— D'une traite ! Et toi ?

— D'un sommeil agité. Je me demande bien pourquoi...

Aucun des deux ne se rappelle que, cette nuit, il a volé dans les airs, galopé, navigué, fait naufrage. Qu'il a sauvé une femme inconnue (celle qui, sur les affiches du métro, vante à demi nue une marque de soutien-gorge), et qu'il se serait passionnément uni à elle s'il avait pu verrouiller à temps les quatre portes de la chambre. Et son épouse placide ne se souvient pas davantage s'être trouvée entièrement nue sur le quai d'une gare — et cette foule qui ne s'apercevait de rien ! Et l'escalier sans fin, sans rampe, avec deux marches qui manquaient, le vide, le puits, vous ne vous les rappelez pas ? — Attendez donc...

Attentif à cette voix intérieure, plus d'un plisse le front, ferme à demi les yeux, enfourche les chevaux de la mémoire et pique des deux à la poursuite de ses fantômes. Hélas, ils s'effilochent à mesure comme la fumée blanche des anciennes locomotives. Les lambeaux qu'on croit en saisir vous fondent entre les doigts. L'escalier ?... la maison basse ?... le puits ?... le soldat gris ?... l'orage ?...

— Non, je n'ai pas du tout rêvé. Ou alors, je ne m'en souviens plus. *Cela ne devait pas être bien marquant.*

Au contraire ! vos rêves vous fuient car ils savent que vous ne pourriez pas les supporter. Leur vision rouvrirait des blessures inguérissables que le petit matin cicatrise pour un temps. Ils se cachent dans votre dos, derrière votre miroir, les mousquetaires, les princesses, les bourreaux, les astronautes — tous ceux qui, cette nuit, vous ont fait trembler de désir ou de peur. Personnages descendus de vos greniers ou remontés de vos caves secrètes, issus de vos albums de souvenirs ou d'entre les pages de votre livre de chevet, aplatis, méconnaissables, fleurs japonaises auxquelles les eaux de la nuit rendront leur stature. A présent, ils se dissimulent, aveuglés par le petit jour, vampires que cette pâle lumière condamne à mort. Ils cherchent à fuir cette maison, cette chambre, cette tête qui, pour une nuit, les a abrités à son insu. Fuir comme les Barbares : après avoir mis le feu dans tous les coins, feux du désir, du regret, du remords — mais il n'en reste que cette cendre légère qui, au réveil, nous rend un peu triste. Non pas triste, mais soucieux ; non pas soucieux, mais *habité*. Vous-même avancez d'une démarche de fantôme et reprenez pied sans joie sur cette terre si raisonnable.

Cependant vos hôtes de la nuit se rencognent en attendant la rumeur familière. « Le voici, le voici ! enfin... » — C'est le camion bleu ciel, le ramasseur de rêves qui approche. Il s'agit de se glisser au-dehors sans vous réveiller, sans vous exhumer de votre néant. Heureusement, les murs se traversent aussi aisément que les crânes et que les paupières. Ils se précipitent dehors, tous rêves mêlés, dans un grand désordre d'époques et de lieux. Qui aurait des yeux pour voir demeurerait interdit devant cette ruée transparente : des apôtres, des danseuses, des cavaliers — et regardez, là ! César lui-même ! Et Mme Curie ! Enfin, quelqu'un qui ressemble à Mme Curie... Ils traversent Landru, piétinent le petit Bara, écartent un peloton de cosaques pour parvenir plus vite au camion d'azur, leur refuge et leur tombe. Si les petits enfants ne dormaient pas tous à cette heure, ils seraient aux fenêtres :

— Maman, viens voir, vite !

— Il n'y a rien à voir, tu m'as dérangée pour rien. Rentre, tu vas prendre froid.

L'homme au camion engrange sa marchandise impondérable. Ramasseur de nuages, il lui faut parfois reconduire doucement un somnambule de chair et d'os égaré parmi les autres. Avant de repartir, il jette un regard derrière lui. Quelquefois, il distingue un fantôme qui regagne à pas de coton le seuil de cette demeure dont la voiture s'éloigne déjà. Il lui fait signe, mais en vain ; il sait que l'autre refusera d'obéir : il ne se résigne pas à quitter son humain ; il va essayer de survivre jusqu'à la nuit prochaine afin de la hanter de nouveau, de l'épouser, de l'entraîner au fond de ses propres abîmes. Afin de lui donner enfin la mesure de ses terreurs, de ses passions, et de lui révéler — dût-il en mourir — quel est son véritable visage.

COMPRENEZ-VOUS ?

Un peu avant midi, Léonard se mit en route. Il n'hésita pas sur la direction à prendre : l'ouest, le couchant.

Il n'y avait personne pour l'interroger — et tant mieux, car il n'aurait su que répondre. Il parlait, voilà tout. A pied, bien sûr ! Quand un malade souffre au-delà de ses forces et qu'il tient encore sur ses jambes, il n'y a guère que cela qui le soulage : marcher. Qui le *soulage* est vite dit (comme tout ce que nous exprimons à propos de la souffrance) : qui lui permette d'attendre l'instant suivant. Peut-être était-ce le cas de Léonard. Mais non ! il ne souffrait pas du tout. Au contraire : une aisance, une « facilité d'être » le portait en avant. Un peu comme roule une pierre, ou comme l'eau descend une pente, comprenez-vous ? Sans doute avait-il atteint secrètement le sommet de sa vie, ce qui n'est pas une question d'âge, et n'avait-il aucune peine à descendre l'autre versant. Il était parti ; s'arrêter eût exigé un effort, poursuivre n'en réclamait aucun. S'il tournait le dos à son paysage familier, c'était par la force des choses ; ce n'était pas qu'il désirât le quitter : mais pour aller vers le couchant, il fallait bien s'éloigner d'ici, n'est-ce pas ?

Personne pour lui poser des questions — et lui-même

ne s'en posait aucune. Une paix surprenante, telle qu'il avait l'impression de se dédoubler, d'assister à soi. Il était à la fois le navire et la mer. Était-ce le vent ou le courant qui l'entraînait ? Je veux dire : un appel du dehors ou une nécessité intérieure ? Il n'aurait pas su répondre non plus — mais, encore une fois, c'est moi seul qui me pose ces questions, parce que je trouve cela singulier, cet homme qui part à pied, tout seul, vers le couchant, Léonard.

Le soleil se rendait, tout aussi lentement, à leur rendez-vous. Pourtant, ce n'était pas vers lui que marchait l'homme, mais vers son propre couchant. Son cœur, qui battait si fidèlement, si profondément, et aussi chacun de ses pas sur la route scandaient le temps qui passe, le temps qui lui était encore imparti. Pas un seul pas, pas un seul battement plus rapide que l'autre ! C'est seulement par une illusion de notre regard qu'il nous semble que, vers la fin, le sable du sablier s'écoule plus vite... Il marchait, Léonard, vers la rencontre : vers Celui qui, depuis des mois, occupait seul son esprit, jour et nuit. Chacun de ses pas l'en rapprochait, c'était une certitude, une évidence ; et peu lui importait que chacun l'éloignât d'autant de son pays, de ses habitudes, de sa vie passée. Ni regret ni impatience ! Il ne lui venait pas non plus à la pensée de courir ; car ce n'était pas au terme d'une certaine distance, mais bien au bout d'un certain temps que l'Autre l'attendait. Et pour la même raison, il ne regrettait nullement de ne pas s'être mis en route plus tôt. Aucune fatigue non plus ! Marcher, c'était vraiment vivre l'instant, et à chaque instant suffisait sa peine ; sa force aussi.

Il ne se retourna qu'une seule fois pour mesurer son ombre du regard. Si longue déjà ! Le soir était donc tombé ? Il allait lui falloir trouver un abri pour la nuit. Des récits d'enfance lui remontèrent en mémoire : la grange remplie de paille où le fermier consent à laisser le vagabond s'étendre à la condition qu'il n'allume pas de feu... D'ici à quelques jours, sa barbe poussant et ses vêtements s'imprégnant de la poussière du chemin, il aurait sans doute l'air d'un vagabond...

Comme il ne savait pas le temps que durerait sa marche il avait, comme les soldats de l'autre siècle, emporté une seconde paire de souliers qui pendaient de part et d'autre de son épaule gauche ; et, toujours à la ressemblance des images d'autrefois, une couverture roulée en bandoulière. L'air d'un soldat perdu, d'un chemineau, d'un pèlerin — et n'était-il pas un peu tout cela ? Si les gens de cette ferme, dont il apercevait lumière et fumée aussi pâles l'une que l'autre, refusaient de le recevoir, il s'enroulerait dans sa couverture et dormirait n'importe où, comme font les bergers. Mais le fermier était bonhomme et l'accueillit dans un coin de son grenier à foin, veuf de foin sinon de son odeur.

Le lendemain matin, il lui offrit le pain et le café, sans poser de questions, et Léonard repartit. Il était encore très tôt ; le soleil s'arrachait paresseusement à son lit de nuages, mais l'homme n'eut aucun regard pour le levant. Filtré par cette nuit de plus, l'air frais étonnait ses poumons. Il lui semblait qu'une journée interminable s'étendait devant lui — oui, proprement interminable, et il en souriait de bonheur. Ou plutôt il s'avisa qu'il souriait car, en fait, depuis son départ, il n'avait guère cessé de sourire. C'est même pour cette raison, mais il l'ignorait, que le fermier l'avait accueilli avec tant de bonhomie.

Il devait être midi (puisque son ombre se ramassait à ses pieds comme une bête apeurée) lorsqu'il s'aperçut qu'il avait faim, que cela ne ferait qu'empirer et qu'il lui faudrait bien, jour après jour, trouver une solution à ce problème. « Je travaillerai », se dit-il. C'est la bonne saison : je proposerai mon aide, de ferme en ferme. Mais jamais plus d'une demi-journée ! Je leur dirai : « Je dois absolument poursuivre ma route, comprenez-vous ? »

Ils le comprirent jour après jour. Peut-être parce que Léonard souriait et n'élevait jamais la voix ; peut-être parce qu'il ne leur parlait jamais d'argent. Toutes les tâches de saison, il les accomplissait d'une main égale. On ne lui posait pas de question, ni : « D'où venez-vous ? » ni « Où allez-vous ? » Simplement, quelquefois : « Vous ne resteriez pas encore quelques jours avec nous ? » (Personne ne le tutoyait.) Il répondait : « J'aimerais bien le pouvoir, mais il faut que je parte, comprenez-vous ? » D'ailleurs, le soir, chacun était si fatigué qu'il ne regardait que son assiette. L'horloge, de haut, surveillait son monde. La grand-mère, à l'écart, aussi.

Ce soir-là :

— Étienne, dit la mère à l'aîné des garçons, pourquoi ne manges-tu pas ?

Léonard était déjà loin sur sa route quand Étienne le rejoignit.

— Tiens ! fit-il sans s'arrêter, ton père ou ta mère t'ont chargé d'une commission pour moi ?... Alors, tu te rends à la ville ?

— Non, dit Étienne, je vous rejoignais. (Il se mit au pas de l'autre.) Je veux aller avec vous.

« Rien ne me surprend plus », constata Léonard. Puis, au bout d'un instant :

— Mais tes parents vont s'inquiéter ?

— Ils ont l'habitude : je suis déjà parti quatre fois.

— Quatre fois ?

— A la guerre... A la ville... Et puis, une autre fois vers la mer. Et aussi, ajouta-t-il en baissant la voix, une autre fois vers l'amour. Je le croyais, du moins.

— Alors, tu en sais aussi long que moi.

— Je ne sais rien, reprit le garçon avec une sorte de violence.

Léonard observa qu'il serrait les poings et qu'il avait repris son propre pas ; pourtant, lui-même n'allongea ni ne pressa le sien pour le rejoindre. L'autre dut l'attendre ; puis il repartit en conformant de nouveau son allure à celle de son compagnon.

— Et cette fois-ci, demanda Léonard après un moment, vers quoi t'en vas-tu ?

— Et vous ?

— Personne ne me l'a demandé jusqu'à présent.

— Personne non plus ne vous a rejoint !

« C'est vrai, pensa Léonard. Je lui dois donc une réponse. » Il hésita encore, puis :

— Eh bien... je vais vers la Vérité.

— C'est ce qu'ils disent tous, fit Étienne violemment.

— Bien sûr. Mais est-ce qu'ils ont tout quitté, eux aussi ? Et sont-ils décidés à marcher jusqu'à ce qu'ils la rencontrent ?

— Moi, je le suis.

— Allons, tu ne sais pas ce que tu dis, murmura Léonard.

Il avait le cœur serré de compassion ; pourtant, il se retenait de tourner le regard vers son compagnon.

— Retourne chez toi, Étienne, reprit-il.

— Pas avant que vous n'ayez répondu à mes questions... Vous devez me répondre ! Cela fait partie de la Vérité, non ?

— Oui, fit Léonard en soupirant, cela fait partie de la Vérité.

Il n'avait emporté avec lui que cette paire de chaussures et cette couverture : ce bagage-là, il savait qu'il aurait la force de le porter jusqu'au bout. Mais il n'avait jamais songé qu'il lui faudrait peut-être se charger aussi d'un compagnon. Oui, s'en charger ! Étienne pesait plus lourd que tout le reste, plus lourd que le soleil, le sommeil et la faim. Mais c'était aussi cela, la Vérité, comprenez-vous ?

— Alors, tes questions, si je peux y répondre ?

Vingt pas en silence ; puis Étienne, d'une voix forte :

— Dieu ? demanda-t-il.

— Ce n'est pas une question, c'est une réponse.

— Pour vous, pas pour moi.

— Mais... tu commences par la fin, protesta Léonard sans conviction.

— Vous savez bien que non. Et pourquoi continuez-vous d'avancer ? fit l'autre en s'arrêtant : vous lui tournez le dos en éludant ma réponse.

— Je te remercie, dit Léonard en se tournant enfin vers lui. Viens, nous repartons...

Le soleil était à son zénith ; plus rien ne semblait vivre autour d'eux, et pourtant ils se sentaient environnés d'un immense regard.

— Alors, Dieu ? demanda Étienne.

Ils ne travaillèrent ni ce jour-là ni le lendemain. Ils marchaient en parlant, sans hâte. Léonard n'élevait jamais le ton ; Étienne, par instants, criait presque.

— Mais alors, comment expliquez-vous que...

— Je n'*explique* rien, répondait l'autre doucement. Nous marchons, justement vers l'Explication.

Au soir du second jour, Étienne se trouva à bout de questions. Il avait fait le tour de son esprit ; pourtant, il ne se trouvait pas du tout au même endroit...

Ils s'étendirent pour dormir ; mais sa fatigue éclusée, Étienne se réveilla, regarda, dans la nuit lunaire, ce compagnon si calme, si maigre aussi, « si vieux », pensa-t-il pour la première fois — et il prit peur. Comme lors de chacune de ses fugues, il se leva brusquement sans faire plus de bruit qu'un chat, laça ses chaussures et s'éloigna. Il revint cependant sur ses pas pour border Léonard dans sa couverture d'un geste presque maternel ; puis il repartit en direction de sa maison.

— Ton père se demandait où tu étais parti cette fois, lui dit seulement sa mère. Moi je m'en doutais. Tu dois avoir faim.

Étienne reprit son travail et sa place à la table silencieuse, sous le regard de l'horloge et celui de la grand-mère qui, au même rythme qu'elle, égrenait son chapelet. Aux champs et à la maison il repassait sans cesse dans sa tête les réponses qu'il avait reçues. Elles suscitaient ou ressuscitaient d'autres questions auxquelles, tôt ou tard, elles apportaient aussi une réponse. Sa mère, qui l'observait, voyait parfois son front s'obscurcir ; elle était alors sur le point de l'interroger, mais la lumière revenait vite sur ce visage qu'elle ne reconnaissait pas tout à fait. Étienne reconstruisait le monde ; chacun de nous le tente à son heure, y parvient ou croit y parvenir ; ou bien, et c'est le plus souvent, il y renonce et vit bruyamment à côté de la vie.

— Étienne, tends-moi ton assiette.

— Comment ?

— Tu ne nous écoutes plus !

— *Au contraire*, répondit-il en souriant. (Depuis combien d'années n'avait-il pas souri ?)

Pourtant, il sentait bien qu'il manquait à sa mosaïque une pièce essentielle. Plus qu'une simple pièce ! le ciment qui en eût maintenu ensemble toutes les parties. Le lien, la clef lui échappaient ; le vieil homme avait oublié de lui fournir une réponse essentielle, mais laquelle ?

Un soir, après le souper, le « Bonne nuit ! » et le baiser sans regard, Étienne monta dans la chambre de sa grand-mère. Allongée dans son lit, le visage aussi blanc que ses cheveux et son bonnet, les mains jointes : si ses lèvres n'avaient pas remué, on l'eût crue morte.

— Grand-mère, demanda Étienne en s'agenouillant près d'elle, redis-moi la prière...

— Laquelle, mon petit?

— « Le père tout-puissant... » tu sais?

— *Je crois en Dieu?* Tu ne la connais plus? demanda-t-elle d'un ton navré.

— Tout ce qu'elle dit, et bien plus encore, je le sais maintenant. Mais il y a sûrement quelque chose que j'oublie. Récite-la-moi, grand-mère, très lentement.

— « Je crois en Dieu », commença-t-elle.

Il opinait gravement après chacune des affirmations qu'elle énonçait avec tant de certitude. Il murmurait : Oui... oui... — mais son inquiétude grandissait à mesure. Tout cela, il le savait; cependant la clef lui manquait toujours...

— Répète, cria-t-il soudain.

— Tu m'as fait peur! « ... à la sainte Église catholique... »

— Plus loin!

— « ... à la Communion des saints... »

— Grand-mère, qu'est-ce que cela veut dire?

Ces mots mystérieux étaient le nœud de tout le reste, il le sentait; saurait-elle le dénouer pour lui?

— Mais, mon petit, ce que signifient les mots, rien de plus, répondit-elle embarrassée.

— Mais ils ne signifient rien, justement!

— Comment peux-tu dire cela? La communion... les saints... c'est si beau!

Étienne contempla ce visage paisible. « Elle n'a plus besoin d'explications, pensa-t-il, elle dort dans la Vérité. Moi, je ne le peux pas! » Il se pencha, baisa ces mains d'ivoire — « Mon petit! » — et sortit de la chambre. Dans la sienne, il prit sa maigre couverture qu'il roula pour l'emporter plus aisément puis, descendant l'escalier et fermant sans bruit la porte derrière lui, il se retrouva une fois de plus dans la nuit.

Il marchait plus vite que Léonard ; il ne lui fallut que deux journées pour le rejoindre. Il l'aperçut de loin, allongé sur le talus et son cœur se serra. « Pourquoi dort-il déjà ? se demanda-t-il. La nuit n'est pas tombée. Et pourquoi la face vers le ciel et les bras en croix ? » Il se précipita vers le vieil homme ; ses lèvres, en chemin, remuaient comme celles de sa grand-mère. « Et à l'heure de notre mort, répétait-il en courant, et à l'heure de notre mort... »

Il demeura longtemps agenouillé dans l'herbe. Il ne pouvait détacher son regard de ces yeux grands ouverts et de cette bouche qui paraissait sourire. « Il n'est plus avec moi, se disait-il, *et pourtant...* »

— Maintenant, fit-il tout haut en se relevant, tu ne me quitteras plus, tu ne quitteras plus personne. Je te parlerai et tu me donneras les réponses au fur et à mesure. Alors, je pourrai vivre. Parce que la Vérité, c'est aussi de vivre, n'est-ce pas, c'est d'abord de vivre ?

— Oui, répondit Léonard.

— Et vous êtes tous ensemble ? Et vous ne nous avez pas quittés ? *Nous sommes tous ensemble,* n'est-ce pas ?

— Oui, répondit Léonard.

Étienne lui ferma les yeux ; il ramena ses bras, parvint à joindre ses mains comme celles de sa grand-mère et, comme l'autre nuit, il le borda tendrement dans sa couverture. Il souriait. Ils souriaient tous les deux. Tous les deux, comprenez-vous ?

LE PSEUDO-RÜTTELBACH

A l'instant même où le Pr Karl-Wilhem Rüttelbach, après avoir, doigt par doigt, déganté sa main droite (et l'épaisse chevalière qu'il portait au cinquième distendait au dernier moment l'étoffe grise), puis, comme on tourne avec précaution les pages d'un livre, soulevé le pan de sa pelisse, celui de sa redingote et celui de son gilet d'hiver, plongeait cette main nue, soudain si sensible au froid, dans la poche de son pantalon, à cet instant même les cloches de la cathédrale annoncèrent de haut à tous les habitants de Ludwig-Hallenheim qu'il était 6 heures. Une légère contrariété crispa le visage du professeur. Vers la tour auréolée d'un vol de corneilles que le bronze venait d'éveiller, il tourna le regard sourcilleux qui foudroyait en silence l'étudiant qui, par exemple, se permettait d'éternuer durant ses leçons magistrales. « Quoi ! 6 heures ?... » Laissant le trousseau de clefs au fond du puits de sa poche (celle de droite, car la gauche contenait son mouchoir), il n'hésita pas — en pleine ville, en plein hiver — à déboutonner ses vêtements jusqu'à ce que cette main impatiente atteignît son gousset (celui de gauche, le droit contenait toutes les piécettes inférieures au demi-pfennig) et se saisît de l'épaisse montre en or que, durant son enfance, il avait tant enviée à son grand-père. Du même geste que le vieux médecin, il en fit jouer le boîtier et contempla un peu trop longtemps le trait vertical que, malgré leurs arabesques, formaient les deux aiguilles. « 6 heures », répéta-t-il et, ne sachant plus à qui adresser ses reproches, il se contenta de secouer la tête en faisant *tss tss tss* — ce qui mettait en cause l'époque, le monde entier, Dieu lui-même qu'il prenait à témoin du dérèglement de sa Création. Car, depuis dix-sept années, c'était seulement en gravissant l'escalier intérieur de sa maison avec la lenteur d'un souverain podagre, et toujours entre la septième et la treizième marche, que le Pr K.-W. Rüttelbach entendait chaque soir, amorti par la double portière de velours tabac qu'on suspendait dans l'anti-chambre aux premiers jours de novembre (le 2, exactement) le tintement lointain des cloches de la cathédrale. Ces six coups, aussi lents que sa propre démarche, appartenaient à la rue, à l'hiver, à ce monde nu, transi, sonore sur lequel il venait, sa journée achevée, de clore sa porte à deux verrous ; et il gardait, encore pesant dans sa main tandis qu'il montait, le trousseau des quatorze clefs qui donnaient accès, de la cave au grenier, aux provinces de son royaume. De ce royaume de tapisseries, de meubles sombres et de vitraux opaques que des doubles fenêtres protégeaient contre toutes les heures de nuit que sonnerait la cathédrale, et où les doubles rideaux gardaient prisonnière une lourde odeur de vieux livres, de tabac noir, d'encaustique et de choucroute que, chaque soir, le Pr Rüttelbach respirait en fermant les yeux car, pour lui, c'était l'odeur même du bonheur. Les six coups étrangers de la cathédrale et, presque aussitôt, ceux de l'horloge de son cabinet de travail, clairs, vivants, empressés comme une bienvenue ; et le chat, pelotonné dans le fauteuil aux coudes usés qui faisait face à la cheminée, s'étirait frileusement et, les pattes raides de sommeil et le dos rond, daignait s'avancer jusqu'aux limites du tapis pour accueillir, d'un miaulement chargé de reproche, les bottines noires, le pantalon rugueux contre lequel il se frottait et la main distraite qui lui caressait l'échine. « Alors, demandait à mi-voix le professeur, que s'est-il passé cet après-midi ? » Mais déjà tout l'assurait que rien, Dieu merci, ne s'était passé : que la brève respiration du chat endormi, le sifflement des bûches et la minutie de l'horloge avaient ici conservé la vie en veilleuse jusqu'au retour du roi. Le professeur marchait jusqu'à sa table de travail, y laissait tomber sa serviette d'un geste presque brutal comme pour se revancher de toutes les consignes de silence et de majesté que l'université lui imposait depuis ce matin, ou pour prouver au chat et à la vieille Ursula qui, de sa cuisine, guettait chaque bruit, qu'il était un homme, le seul homme ici et le maître. Avec une hâte tout inattendue, il vidait la grosse bête noire de ses entrailles de livres et de carnets, rangeait prestement les uns et les autres et faisait disparaître la flasque dépouille dans un tiroir. Ce soir, après souper, il allumerait la lampe au globe vert : celle-là même qui, pendant sa jeunesse, dispersait ses reflets livides sur la calotte, le front d'ivoire et les belles mains de son père, le magistrat, tandis qu'il préparait l'audience du jour suivant. A cette même lueur avare, avec les mêmes gestes et des soupirs semblables il préparerait ses cours du lendemain ; mais personne ne tricoterait en silence, dans le fauteuil à oreillettes, lui jetant par-dessus ses lunettes un regard placide après chacun de ces soupirs. Sa mère... Le Pr Rüttelbach songeait à elle tous les soirs en retrouvant ce fauteuil à oreillettes où elle se tenait si raide, avec le même visage hautain et secret qu'elle montrait encore dans son cercueil où elle se tenait aussi raide. De son père, il n'avait retenu, par un singulier esprit de vengeance, que le visage du vieillard aux yeux larmoyants, à l'expression veule et implorante que l'autre était devenu après son veuvage, ses scandaleuses débauches et son accident cardiaque. Rüttelbach ne pensait jamais à lui mais, à son insu, il le ressuscitait et réhabilitait l'ancien magistrat à force de lui ressembler et de surenchérir sur la dignité de sa tenue et de sa démarche. Oui, lorsque après avoir rangé ses livres il passait devant le miroir ténébreux qui le reflétait de la tête aux pieds, c'était la silhouette même de son père : ventre, barbe, lunettes, qui s'y montrait fugacement parmi le décor inchangé. Mais il ne s'arrêtait jamais devant son image ; avec des gestes précis et rituels, ceux d'un prêtre retirant un à un ses ornements sacrés, il se dévêtait de sa pelisse puis de sa redingote. Sur une table basse près du foyer, Ursula avait disposé la robe de chambre de velours grenat, la calotte à gland, les pantoufles, la pipe toute bourrée, le journal. Elle-même apparaissait au moment voulu, c'est-à-dire lorsque le Maître se laissait lourdement choir dans le fauteuil usé après avoir noué la cordelière de sa robe de chambre et allumé sa longue pipe au tuyau de porcelaine.

— Bonsoir, monsieur le professeur.

— B'soir, Ursula.

Elle l'avait longtemps appelé Karl-Wilhem, puis « monsieur Karl-Wilhem » l'année de ses seize ans et, au jour de sa nomination « monsieur le professeur ». Quel âge avait-elle ? ' — « Toujours le même depuis mon enfance », pensait vaguement Rüttelbach, bien qu'il lui souhaitât scrupuleusement son anniversaire, tous les 23 de février, en lui remettant une petite pièce d'or dans un mouchoir brodé.

— B'soir Ursula.

Elle s'agenouillait devant lui, délaçait ses bottines,

chaussait ses pantoufles et disparaissait aussi silencieu-
sement que l'eût fait le chat. Comme elle avait laissé les
portes ouvertes derrière elle, une odeur chaleureuse
cheminait depuis la cuisine : « Pintade aux choux,
pensait le professeur en gonflant ses narines pour mieux
l'aspirer. C'est vrai, nous sommes mercredi. » Il contemplait un instant le foyer, saisissait le tisonnier, provoquait quelques écroulements brasillants, tendait enfin la
main vers son journal ; alors, le chat sautait sur ses
genoux et s'y lovait en ronronnant.

Mais, ce soir, le cérémonial familier laisse le professeur insatisfait. Il ne répond pas au bonsoir d'Ursula, ne
reconnaît pas le lapin aux girolles du mardi et laisse sa
pipe s'éteindre. Comment se fait-il que les cloches de la
cathédrale... Aurait-il prolongé son cours, ou serré les
mains de ses collègues au-delà du temps habituel ? S'est-
il attardé devant la devanture du charcutier où les
jambons de Noël décorés de gnomes et de rennes en
saindoux ont fait leur apparition ? Ou devant celle du
pâtissier qui a retrouvé ses ours en pain d'épice et ses
croquettes en forme d'étoile ? Mais plutôt n'a-t-il pas
ralenti le pas en apercevant devant lui Frida Gebhart
dont le lourd manteau de fourrure ne parvient ni à
épaissir la taille ni à dérober les hanches : ralenti le pas
afin de la suivre plus longtemps en rêvant du voluptueux
balancement de ce corps. Frida est la nièce du bourgmes-
tre et pourrait, en mai prochain, devenir l'épouse du
professeur si celui-ci se décidait à faire sa demande. Une
femme... Une femme ici ? Ursula ne le supporterait pas.
Et quelles habitudes étrangères, quelle cuisine insolite
n'introduirait-elle pas entre ces murs ! Allons, c'est
l'odeur, le silence, le décor, la paix de la maison qui s'en
trouveraient dévastés ? Cette précieuse horloge Rüttelbach, ce mécanisme inaltérable que trois générations
ont, en un siècle, patiemment monté et entretenu, qu'en

resterait-il si une jeune femme y mêlait ses horaires, ses chants, ses caprices ? — Ses parfums aussi, Rüttelbach ! Le professeur soupire si profondément que le chat offusqué quitte la place ; son maître se lève et arpente la pièce obscure ; à ces pas inhabituels, Ursula dresse l'oreille. L'horloge tinte le quart de 6 heures d'un timbre joyeux. La voix de Frida... — « Karl-Wilhem, c'est toi ? » crierait-elle chaque soir du haut de l'escalier, et qu'importerait alors que les cloches de la cathédrale aient ou non sonné ! « C'est *toi*... » Depuis la mort de ses parents ce mot n'a plus cours ici ; même à son chat le professeur dit « vous ». Il réserve le tutoiement à la petite couturière de la ville voisine que, depuis dix ans, il visite en secret le samedi ; elle aussi délace ses chaussures, de plus en plus malaisément car elle a épaissi. La jeune Frida aurait bien d'autres exigences ; et ne risque-t-elle pas, justement de le ridiculiser un jour ? Un second scandale Rüttelbach, après celui de son père ! Le nom n'y survivrait pas. — Mais sans héritier il ne survivra pas davantage, Karl-Wilhem ; et ces hanches superbes sauront t'en façonner de robustes. Un poupon sur ses genoux, n'est-ce pas plus satisfaisant qu'un chat ? — Un poupon, soit : l'héritier Rüttelbach ; mais ces hanches si vastes n'en produiront-elles pas un nouveau chaque hiver ? Des larges flancs du beau navire, ne sortira-t-il pas toute une cargaison de marmots qui saccageront le musée Rüttelbach ? — Quelle fierté pourtant de les sortir le dimanche ! — Mais quelle angoisse de leur livrer la maison en partant chaque matin pour l'université...

Les mains dans le dos, le professeur marche en marmonnant, de la porte au miroir, du miroir à la porte. Sa pipe est froide, son feu agonisant, son chat aussi inquiet qu'Ursula. Au moment où il passe, une fois de plus, devant le miroir, pourquoi se retourne-t-il brusquement vers la fenêtre, la ville, la vie ? *Et c'est alors qu'il vous aperçoit.*

— Eh bien, lecteurs, s'écrie-t-il d'un accent tout hérissé et sur un tel ton que le chat s'enfuit vers la cuisine, eh bien, vous avez l'air stupéfait et même stupide ! Vous n'espériez tout de même pas assister tranquillement à ma vie sans que je finisse par vous démasquer... Lecteurs, tous les mêmes : des voyeurs ! Ils voudraient jouir à la fois du spectacle et de l'impunité !... Non, non, restez là. Expliquons-nous, une bonne fois. Ce Rüttelbach, vous y avez cru, n'est-ce pas ? Il vous a suffi de quelques détails triviaux pour que j'existe à vos yeux ! mais, imbéciles sans mémoire, ne connaissez-vous pas aussi bien que l'auteur le grenier où il a puisé ce bric-à-brac ? C'est le même qui leur sert à tous, le même, immémorialement ! Chaque siècle y verse ses dépouilles : costumes et coutumes, mobiliers, bibelots, bonshommes — la foire aux puces des écrivains ! Ils se transmettent leurs accessoires d'âge en âge pour vous présenter leur guignol. « Rüttelbach » ! Mais regardez-moi un peu mieux ! déguisement, maquillage, décor, lumière... Et vous marchiez ! Tout cela, vous l'aviez déjà lu, ici ou là ; personne n'a jamais rien inventé ; mais vous êtes pareils aux enfants qui réclament qu'on leur raconte toujours les mêmes histoires. Ce qui vous importe n'est jamais d'apprendre, seulement de vous y reconnaître. Vous feignez de réclamer du nouveau, « du nouveau, n'en fût-il plus au monde ». Eh bien, voici une mauvaise nouvelle : *il n'en est plus au monde !* Sauf quelques génies, d'âge en âge, mais qui vous épouvantent. Vous ne les tolérez qu'épointés, rognés par le temps, émasculés par les commentateurs. Ce qu'il vous faut, c'est le musée Grévin, ou encore le miroir, un miroir qui réfléchit à votre place. Ce qu'il vous faut, c'est Rüttelbach !... Rüttelbach, répéta-t-il avec un mépris mêlé de fureur ; et

214

il partit d'un rire si cruel, si humiliant que je m'avançai à mon tour afin de prendre la défense des écrivains et de leurs lecteurs. Je m'avançai dans ce décor que je croyais avoir monté pièce à pièce et dont je reconnaissais à présent chaque accessoir ; je m'avançai jusqu'au miroir ténébreux mais, là parvenu, je ne pus articuler une seule parole. Car ce que j'y voyais — *et qui pourtant me justifiait* — me paralysa de terreur et de honte : le ventre, la barbe, la redingote... Rüttelbach ! oui j'étais Rüttelbach...

TABLE DES MATIÈRES

ŒUVRES
DE GILBERT CESBRON

Romans

LES INNOCENTS DE PARIS (1944, Buchet/Chastel).
ON CROIT RÊVER (1946).
LA TRADITION FONTQUERNIE (1947).
NOTRE PRISON EST UN ROYAUME (1948).
LA SOUVERAINE (1949).
LES SAINTS VONT EN ENFER (1952).
CHIENS PERDUS SANS COLLIER (1954).
VOUS VERREZ LE CIEL OUVERT (1956).
IL EST PLUS TARD QUE TU NE PENSES (1958).
AVOIR ÉTÉ (1960).
ENTRE CHIENS ET LOUPS (1962).
UNE ABEILLE CONTRE LA VITRE (1964).
C'EST MOZART QU'ON ASSASSINE (1966).
JE SUIS MAL DANS TA PEAU (1969).
VOICI LE TEMPS DES IMPOSTEURS (1972).
DON JUAN EN AUTOMNE (1975).
MAIS MOI JE VOUS AIMAIS (1977).

Contes, récits, nouvelles

TRADUIT DU VENT (1950).
TOUT DORT ET JE VEILLE (1959).
IL SUFFIT D'AIMER (1960).
DES ENFANTS AUX CHEVEUX GRIS (1968).
LA VILLE COURONNÉE D'ÉPINES (1974).
UN VIVIER SANS EAU (1979).

Essais

CHASSEUR MAUDIT (1953).
CE SIÈCLE APPELLE AU SECOURS (1955).
LIBÉREZ BARABBAS (1957).
UNE SENTINELLE ATTEND L'AURORE (1965).
LETTRE OUVERTE A UNE JEUNE FILLE MORTE (1968, Albin Michel).
CE QUE JE CROIS (1970, Grasset).
DES LEÇONS D'ABÎME (1971).
MOURIR ÉTONNÉ (1976).
HUIT PAROLES POUR L'ÉTERNITÉ (1978).

Journal sans date

JOURNAL SANS DATE (1963).
TANT QU'IL FAIT JOUR (1967).
UN MIROIR EN MIETTES (1973).
BONHEUR DE RIEN (1979).

Théâtre

I. IL EST MINUIT, DOCTEUR SCHWEITZER, *suivi de* BRISER LA STATUE (1952).
II. L'HOMME SEUL, *suivi de* PHÈDRE A COLOMBES *et de* DERNIER ACTE (1961).
III. MORT LE PREMIER, *suivi de* PAUVRE PHILIPPE (1970).

Divers

TORRENT (poèmes, 1934, Corrêa).
LES PETITS DES HOMMES (album, 1954, Clairefontaine).
MERCI L'OISEAU ! (poèmes, 1976).
CE QU'ON APPELLE VIVRE (entretiens, 1977, Stock).

Achevé d'imprimer le 18 mars 1980
sur presses CAMERON,
dans les ateliers de la S.E.P.C.
à Saint-Amand-Montrond (Cher)
pour le compte des éditions Robert Laffont
6, place Saint-Sulpice 75279 Paris Cedex 06

Dépôt légal : 1er trimestre 1980.
N° d'Édition : H 453. N° d'Impression : 300/069.